Ingo Broer

Die Seligpreisungen
der Bergpredigt

BONNER BIBLISCHE BEITRÄGE

Herausgegeben von

Frank-Lothar Hossfeld
Helmut Merklein

Professoren der Katholisch-Theologischen Fakultät der Universität Bonn

Band 61

Ingo Broer

Die Seligpreisungen der Bergpredigt

Studien zu ihrer Überlieferung
und Interpretation

Peter Hanstein Verlag

CIP-Kurztitelaufnahme der Deutschen Bibliothek

Broer, Ingo:
Die Seligpreisungen der Bergpredigt : Studien zu
ihrer Überlieferung u. Interpretation / Ingo Broer. –
Königstein/Ts. ; Bonn : Hanstein, 1986.
  (Bonner biblische Beiträge ; Bd. 61)
ISBN 3-7756-1075-8
NE: GT

Satz: Computersatz Klaus Prechtl, Passau
Druck und Bindung: Poeschel & Schulz-Schomburgk, Eschwege
Printed in West-Germany
ISBN 3-7756-1075-8

Wolfgang Harnisch,
Marburg,
zum 50. Geburtstag
am 12. November 1984

Inhaltsverzeichnis

Vorwort

Auch diese kleine Arbeit ist wieder erst nach längeren Vorarbeiten zum Abschluß gekommen. Die ersten Entwürfe stammen bereits aus dem Jahre 1977, sie sind allerdings in der Zwischenzeit mehrfach und so gründlich überarbeitet worden, daß ich hoffen kann, der Leser werde die Jahresringe nicht mehr erkennen.

Ich hoffe, daß diese Arbeit eine kleine Hilfe zu einer größeren Intersubjektivität bei der Exegese der Seligpreisungen der Bergpredigt sein wird. Sie ist jedenfalls auch aus der Sorge um den Wissenschaftscharakter der neutestamentlichen Exegese entstanden.

Das Büchlein ist einem Manne gewidmet, der mir in schwieriger Zeit zum Freund geworden ist und dem ich viel verdanke.

Ich danke dem Herausgeber der Bonner Biblischen Beiträge, Herrn Kollegen H. Merklein, für die Übernahme dieser Arbeit in die genannte Reihe, Herrn Kollegen D. Zeller für ein langes Gespräch über die hier verhandelten Probleme, Frau G. Kuss und Frau R. Schumacher für die hervorragende Gestaltung des Manuskripts und nicht zuletzt der Studentin M. Gerhardus für die Unterstützung bei der Literaturbeschaffung, beim Suchen und Verifizieren von Väterzitaten und für manche andere Hilfe.

Siegen, im Februar 1985

I. Broer

O. EINLEITUNG

Zur Lage der neutestamentlichen Exegese in der Gegenwart

Die gegenwärtige Lage der neutestamentlichen Bibelwissenschaft ist schlecht. Dieser Zustand ist schon so häufig beschrieben und dokumentiert worden, daß es genügt, ihn an dieser Stelle mit zwei Zitaten zu beleuchten. Wir wählen dazu eines aus der Zeit der frühen sechziger und eines aus der Zeit der frühen siebziger Jahre.

E. Käsemann schreibt 1964:

„Kann man denn nur eine Sekunde vergessen, daß wir täglich mit einer Hochflut an zweifelhaften oder gar abstrusen Einfällen auf exegetischem, historischem, theologischem Gebiet zu tun haben und unsere Wissenschaft allmählich in einen weltweiten Buschkrieg ausgeartet ist, wenn die Vergangenheit uns schon nicht mehr schreckt?"[1]

K. Lehmann schreibt 1971:

„ . . . das Sich-Überschlagen permanenter Hypothesenbildungen, die Neukreation auch baren Unsinns und die Aufstellung privater Sondertheorien ist für sich allein kein Garant wissenschaftlicher Erkenntnis."[2]

Angesichts dieser Lage mag es vermessen erscheinen, sich erneut der Bergpredigt und den Seligpreisungen zuzuwenden, da diese doch ein besonders deutliches und für jedermann erkennbares Paradigma für den „Kleinkrieg der Spezialisten, in dem so sehr viel mehr geschossen und vernebelt als getroffen und entschieden wird"[3], sind. Aber angesichts des Interesses der öffentlichen Meinung an der Bergpredigt in der letzten Zeit scheint es mir doch eine Verpflichtung der „Spezialisten" zu sein, sich Rechenschaft über eine intersubjektive Auslegung der Bergpredigt zu geben. Aber auch unabhängig von diesem Interesse der öffentlichen Meinung können sich die Exegeten mit dem Nebeneinander miteinander nicht vereinbarer wissenschaftlicher Lösungsvorschläge kaum zufrieden geben, wenn Wissenschaftlichkeit etwas mit Intersubjektivität zu tun hat. Man wird das vielbeklagte Nachlassen z.B. des studentischen Interesses an der Bibelwissenschaft und die Hinwendung zu den praxisorientierten theologischen Disziplinen zwar nicht ausschließlich, wohl aber zumindest auch auf dieses Nebeneinander vieler Meinungen, deren Über- und Unterordnung sowie Bewertung für den Studenten in vielen Fällen unmöglich ist,

---

1 Käsemann, Exegetische Versuche II 36.
2 Lehmann, K., Der hermeneutische Horizont der historisch-kritischen Exegese, in: Schreiner, J. (Hg.), Einführung in die Methoden der biblischen Exegese, Würzburg 1971, 40ff. 64.
3 Käsemann, Exegetische Versuche II 214.

zurückführen müssen. Der Wissenschaftscharakter der ganzen Disziplin steht hier auf dem Prüfstand.[4]

Auswege aus diesem Dilemma sind vielfältig versucht worden. Aber weder die Übernahme der neueren sprachwissenschaftlichen Methoden noch der Versuch einer Biblischen Theologie, die das Neue Testament stärker in der Kontinuität mit dem Alten Testament und dem Judentum sieht, haben bislang zu einer einheitlicheren Meinungsbildung geführt. Verschiedentlich ist auch darauf hingewiesen worden, daß die Vielfalt der Ergebnisse zunächst kein Beweis für die Schwäche einer Methode sei, sondern nur die *mangelhafte Praxis der Anwendung* dieser Methode aufzeige.[5] Eine solche Bemerkung ist freilich auch nicht dazu angetan, das Vertrauen in die neutestamentliche Exegese zu stärken. Deshalb wird es für die neutestamentliche Exegese, solange nicht bessere – und das heißt für mich: intersubjektivere, die Vielfalt einander widersprechender Meinungen beseitigende – Verfahren entwickelt sind, bei den bekannten methodischen Schritten bleiben müssen, über deren Bedeutung und Leistungskraft freilich vertieft nachgedacht werden muß.

Eine wichtige Voraussetzung für eine Verbesserung der Ergebnisse neutestamentlicher Exegese scheint mir darin zu bestehen, daß sorgfältig die Meinungen referiert und mit den Gegenmeinungen konfrontiert werden, so daß zum einen die Wendepunkte, an denen die Entscheidung fällt, ganz deutlich werden, zum anderen aber durch das exakte Argumentieren und Gegenargumentieren Geschmacksurteile so weit wie möglich ausgeschlossen sind. Das sei an einem Beispiel verdeutlicht: Für die Ursprünglichkeit der 3. Person in den Seligpreisungen wird häufig auf die merkwürdige Gestalt, die die Seligpreisungen in der 2. Person bei Lk (noch) aufweisen, hingewiesen. Wer dieses Argument als entscheidend ansieht, sollte sich umso intensiver mit den Autoren auseinandersetzen und sie wirklich zu hören suchen, die für die Ursprünglichkeit der 2. Person eintreten und die Art der Formulierung bei Lk gerade nicht als entscheidendes Gegenargument anerkennen. – Eine plausible Argumentationsstruktur aufzubauen, in der das den Verfasser jeweils überzeugende Argument als mit höchster Durchschlagskraft beladen erscheint, reicht in der gegenwärtigen Lage der neutestamentlichen Wissenschaft wohl nicht mehr aus.

Bevor nun versucht wird, eine kleine Schneise in das Dickicht der Auslegung der Bergpredigt und speziell der Seligpreisungen zu schlagen, sei zuerst noch einmal der verflochten wirre Zustand dieses Dickichts durch zwei Zitate belegt.

---

4 Vgl. auch Stuhlmacher, P., Schriftauslegung auf dem Wege zur biblischen Theologie, Göttingen 1975, 131: „Ebenso deutlich ist aber, daß die derzeitige Pluralität der neutestamentlichen Theologie in allen wesentlichen Sachaussagen die theologische Stoßkraft der ntl. Disziplin im gesamttheologischen Gespräch stark behindert und teilweise sogar schon in Frage stellt".
Als weiterer Grund für die Notwendigkeit einer erneuten Bemühung um die Seligpreisungen ließe sich anführen, daß z.B. Merklein in ihnen „in nuce bereits das eigentlich Charakteristische der Botschaft Jesu von der Gottesherrschaft ausgesagt" findet (Jesu Botschaft 50).
5 Vgl. Gräßer, Offene Fragen 201f.

Zu der Frage, ob die nur bei Lk überlieferten Weherufe (Lk 6,24-26) von Lk selbst verfaßt oder von ihm in seiner Quelle vorgefunden worden sind, urteilt Ch. Michaelis:

„Wenn man den Wortschatz der Weherufe untersucht, stellt sich heraus, daß die meisten Wörter dem Vokabular des Lk angehören und – soweit man das eben behaupten kann – Q fremd sind."[6]

Demgegenüber versucht H.-J. Degenhardt den detaillierten Nachweis, daß die in den lukanischen Weherufen verwendeten Vokabeln von Lk in der Regel nicht redaktionell verwendet werden. Nach seiner Meinung deutet der sprachliche Befund „auf eine alte, und zwar palästinische Tradition hin."[7] Dieses diametral entgegengesetzte Urteil zeigt, wie wenig die unterschiedlichen Meinungen auf große und grundsätzliche Differenzen z.B. in theologischen Grundurteilen zurückzuführen sind (wobei es natürlicherweise auch solche gibt), und läßt den erneuten Versuch, zu wenigstens etwas größerer Intersubjektivität zu gelangen, von vornherein in wenig günstigem Licht erscheinen.[8] Aber den Versuch nicht zu wagen, hieße die Exegese aufzugeben – der daraus resultierende Schaden, vor allem für die Verkündigung, wäre zweifellos noch größer.

---

6 Michaelis, Alliteration 160; ähnlich neuerdings wieder Hoyt, The Poor/Rich Theme 36.

7 Lk 51f. Vgl. zu diesem Beispiel auch Kieffer, Essais 34f.

8 Vgl. Kieffer, Essais 36: „Des arguments décisifs dans un sens ou dans l'autre ne semblent pas possibles, dans l'état actuel de la recherche. Le problème des sources des béatitudes et de la rédaction lucanienne ou matthéenne est donc aujourd'hui insoluble scientifiquement". Vgl. auch schon Dupont I 272f. und 273 A.1; Holtz, Grundzüge 10. Merklein, Jesu Botschaft 131 A. 1 schreibt hinsichtlich der Passionsgeschichte von der „mangelnden methodischen Eindeutigkeit der literarkritischen und traditionsgeschichtlichen Analysen der Passionsüberlieferung". – Unbeschadet der oben bei A. 5 referierten Meinung ist ja auch die Frage zu bedenken, ob es in den Geisteswissenschaften Methoden im Sinne naturwissenschaftlicher Exaktheit überhaupt geben kann (womit nun nicht nachträglich die stark divergierenden Meinungen wieder relativiert werden sollen). Sowenig synchron gesehen die totale Meinungsvielfalt zu rechtfertigen ist, es sei denn, man geht von der Leerstellentheorie (vgl. dazu Iser, W., Der Akt des Lesens: Theorie ästhetischer Wirkung (UTB 636) München 1976) aus, wobei aber nachzuweisen wäre, daß die Vielfalt der Meinungen innerhalb des auch von dieser Theorie als gültig anerkannten Rahmens bliebe, so sehr muß diese diachron zugegeben werden, es sei denn, man gehe davon aus, es gebe Texte, die ein für allemal unwiderlegbar eindeutig interpretiert sind (aber wo sind solche zu finden? Zum prinzipiellen Charakter der Unabgeschlossenheit der Interpretationen vgl. Gadamer, H.-G., Wahrheit und Methode. Grundzüge einer philosophischen Hermeneutik, Tübingen [3]1972, 280. 282; Fohrer, Exegese 11; Richter, Exegese 28). Trifft das aber zu, dann sind die Methoden in den Geisteswissenschaften von anderer Exaktheit als die der Naturwissenschaften, was man im übrigen auch daran sehen kann, daß treffende Interpretation in den Geisteswissenschaften ja doch wohl viel weniger an methodisches Vorgehen gebunden ist als in den Naturwissenschaften. Vgl. zum Problem auch noch Lührmann, D., Auslegung des Neuen Testaments, Zürich 1984. 25f.

1. KAPITEL

Zur Überlieferungsform der Seligpreisungen und Weherufe in der vorlukanischen und vormatthäischen Tradition

1.1 Zu Aufgabe und Bedeutung der Literarkritik

Exegese hält seit langem literarkritisches Fragen auch für die Interpretation der Texte selbst für bedeutsam. Literarkritik als anfangshafter Einstieg in die Geschichte eines neutestamentlichen Textes eröffnet zugleich die Geschichte der Urgemeinde bzw. der Kirche des 1. Jahrhunderts, beleuchtet die in ihr vorhandenen Tendenzen usw. Ist so die erhellende Funktion literarkritischer Arbeit an Texten des Neuen Testaments eindeutig, so leidet diese Arbeit doch daran, daß intersubjektive Ergebnisse offensichtlich nur sehr schwer zu erzielen sind. Ein sehr deutliches Paradigma für diese mangelnde Intersubjektivität sind die Seligpreisungen. Hier werden folgende Fragen gestellt und u.a. mit Hilfe von Literarkritik zu beantworten gesucht:

1. Angesichts der Tatsache, daß Lk nur vier, Mt aber neun Seligpreisungen überliefert, wird nach dem Ursprung der fünf bei Mt über Lk vorhandenen Seligpreisungen gefragt.
2. Angesichts der Tatsache, daß Mt und Lk bei drei der vier von ihnen parallel überlieferten Seligpreisungen in der Person der Angesprochenen divergieren, wird gefragt, welche Form der Seligpreisungen ursprünglich ist, wer den Wechsel zu verantworten hat und welche Bedeutung diesem für die Interpretation zukommt.
3. Schließlich wird nach dem Ursprung der lukanischen Weherufe einerseits und nach dem Grund für deren Fehlen bei Mt andererseits gefragt.

1.2 Gründe und Meinungen

1.2.1 Das Dilemma

Die äußerst unterschiedlichen Ergebnisse literarkritischer Arbeit bei den Seligpreisungen haben in der komplexen Natur des Gegenstandes ihren Grund. Es lassen sich durchaus vernünftige Gründe für Meinungen anführen, die dennoch falsch sind. Offensichtlich muß auch Literarkritik, wenn sie weiter Sinn haben soll, wesentlich komplexer betrieben werden als das bislang der Fall ist.

Ein Beispiel: Schulz[9] führt für die größere Ursprünglichkeit der 3. Person bei Mt folgendes Argument an: ,,Die Formulierung des Makarismus in der 2. Person bei Lk dürfte . . sekundär gegenüber der Mt-Fassung in der 3. Person sein. Die formgeschichtliche Betrachtung zeigt, daß Makarismen ursprünglich in der 3. Person for-

---

9 Q 77.

muliert sind." – Daß die ursprüngliche Form des Makarismus die 3. Person ist, wird niemand bestreiten wollen, die Seligpreisungen des Alten Testament sind in der bei weitem überwiegenden Zahl der Fälle in der 3. Person formuliert. Aber ist damit bewiesen, daß auch bei den Makarismen der Bergpredigt das Normale das Primäre und das Außergewöhnliche das Sekundäre ist? Und muß man nicht auch dem Argument der Autoren Vernünftigkeit attestieren, die da schließen, erst Mt habe, um die Seligpreisungen an die des Alten Testament anzugleichen, die ursprüngliche 2. Person in die 3. Person geändert?[10] Gegen dieses Argument freilich ließe sich dann doch wohl die Tatsache anführen, daß Mt die letzte Seligpreisung gerade in der 2. Person bietet – aber auch gegen dieses auf den ersten Blick schlagende Argument ließen sich Einwände erheben (dazu s. weiter unten).

Literarkritik hat wie dargelegt die Interpretation des jeweiligen Abschnitts in seiner Geschichte (mit der sich freilich auch noch andere methodische Schritte bibelwissenschaftlicher Arbeit beschäftigen), aber nicht nur diese, im Blick. Da alle diese Ergebnisse nur weiterführen, soweit sie intersubjektiv sind, Intersubjektivität gerade bei der Literarkritik aber selten der Fall ist, kann man entweder die Literarkritik ganz aufgeben – dieser Schluß scheint mir angesichts der divergierenden Ergebnisse solcher Arbeit trotz des oben erwähnten Hinweises von Gräßer, daß unterschiedliche Ergebnisse einer Methode diese selbst nicht notwendig disqualifizieren, gar nicht so ungeheuerlich zu sein, wie es auf den ersten Blick scheint; es gab und gibt ja auch in der Literaturwissenschaft Tendenzen und Methoden, die weniger auf die Wachstumsringe eines Textes als auf den Text als Ganzes schauen[10a] – oder man muß wesentlich komplexer argumentieren. Das sei im Folgenden versucht.

1.2.2 Aprioris

Trotz der vielfachen sowohl konvergierenden als auch divergierenden Entwicklungen in der Kirche des neutestamentlichen Zeitalters verdienen einfache Lösungen den Vorzug vor komplizierten; es ist also wahrscheinlicher, daß entweder die 2. Person des Lk oder die 3. Person des Mt auf Jesus zurückgehen – sofern die Makarismen ein jesuanisches Substrat haben. Weniger wahrscheinlich ist deswegen

---

10 So z.B. Schmid, Mt und Lk 216; Schürmann, Lk 329; Luz, Bergpredigt im Spiegel 39; Grundmann, Weisheit 189. Vgl. auch die freilich sehr selbstgewisse Bemerkung von Hasenfratz, Die Rede von der Auferstehung 226f.: „Wer die Anredeform bei Lk (2. Pluralis) gegenüber der bei Mt (3. Pluralis) unter Berufung auf die Formgeschichte der Makarismen als sekundär ansieht, sollte in Rechnung stellen, daß die Form des direkten Zuspruchs ebensogut schon auf einer früheren Stufe bewußte Innovation gegenüber der Gattung, also just für die älteste Schicht von Q typisch sein kann". Im Folgenden wird dann aus der Erwägung einer Möglichkeit offensichtlich Sicherheit, wenn die matthäische Fassung der Seligpreisung der Armen als spiritualisierende und moralinhaltige Umdeutung bezeichnet wird.

10a So etwa der New Criticism.

eine Rekonstruktion der Entwicklung, die z.B. für den historischen Jesus (aus welchen Gründen auch immer) die 3. Person postuliert, diese in der Q-Gemeinde auf Grund der katechetischen Verwendung in der postbaptismalen Gemeindeunterweisung in die 2. Person umgewandelt sieht, und dann von Mt wieder in die 3. Person zurückgebracht worden sein läßt.[11]

1.2.3 Gründe für die Ursprünglichkeit der 3. Person

1.2.3.1 Das Normale ist das Ursprüngliche

Hier ist auf das bereits kurz angesprochene Argument hinzuweisen, das den höheren Grad der Normalität mit einer größeren Ursprünglichkeit gleichsetzt.[12] Freilich kann in der Literatur auch umgekehrt argumentiert werden: Der Verlauf der Überlieferungsgeschichte zeige eine deutliche Tendenz zur Übernahme der Normalform, was gerade für die Ursprünglichkeit der (nicht normalen) 2. Person spreche.[13]

Koch kombiniert die Argumente noch etwas anders: „Da jedoch die Gattung der Seligpreisung herkömmlicherweise die 3. Person benutzt, wie die alttestamentlichen Beispiele beweisen, und eine Änderung in die Anredeform sehr viel leichter denkbar ist als das Umgekehrte ... ist der Stil von Mt in dieser Hinsicht gewiß der ältere."[14]

Ziemlich genau das Gegenteil zu Koch kann man bei Schmid finden, der es gerade für wahrscheinlicher hält, „daß Mt sich an die alttestamentlichen Vorbilder angeschlossen hat, als daß der gute Kenner der LXX Lk davon bewußt abgewichen wäre".[15]

Da bereits in der hebräischen Bibel von fünfundvierzig Makarismen insgesamt drei mit dem Suffix der 2. Person Singular und einer mit dem Suffix der 2. Person Plural belegt sind,[16] ist der Makarismus der 3. Person zwar viel häufiger, aber ein Argument kann dieser Statistik nicht entnommen werden. Denn die zitierte Argumentation von Schulz würde ja darauf hinauslaufen, auch für *die* Stellen des Alten Testaments, wo der Makarismus in der 2. Person abgefaßt ist (Dtn 33, 29; Ps 128, 2; Koh 10,17), einen ursprünglichen Makarismus in der 3. Person zu postulieren, der nachträglich und heute nicht mehr erkennbar in die 2. Person Singular umgewandelt wurde.

---

11 So Degenhardt, Lk 44; Schürmann, Lk 329; vgl. auch Wrege, Überlieferungsgeschichte 8.
12 Vgl. Schulz, Q 77; Degenhardt, Lk 44; neuestens wieder Schlosser, Règne 424 f.; Guelich, Sermon 76.
13 So Walter, Seligpreisungen 252.
14 Formgeschichte 51.
15 Mt und Lk 216.
16 Zahlen nach Dupont I 275; andere Autoren, z.B. Lipinski, zählen 46 Makarismen im hebräischen Kanon. Vgl. im übrigen auch die Kritik an diesem Argument bei Kähler, Diss. 97.

Kann man die Argumente so verbinden: Die Normalform ist die 3. Person und eine Abänderung von der 3. in die 2. Person ist leichter als umgekehrt? Wenn es einen Sinn hat, von so etwas wie einer Normalform zu reden, dann doch diesen, daß hier, wie etwa bei den Wundergeschichten besonders deutlich erkennbar ist, die zu erzählende Sache eine bestimmte Form nahelegt ('selig' insinuiert die 3. Person) – gilt aber dies, so kann die Abänderung in die 2. Person gerade nicht als das leichter Denkbare erklärt werden. Jedenfalls ist, wenn man einen solchen Form-„Zwang" unterstellt, die 2. Person als Abweichung von der Normalform gerade das Schwierigere.

Das Argument Schmids ist schwer zu widerlegen, weil es für den unterschiedlichen Textbefund bei Mt und Lk auf jeweils den gleichen Sachverhalt, nämlich die Kenntnis des Alten Testaments, hinweist. Zunächst sei einfach behauptet, daß dieses Argument ohnehin nicht schwer wiegt, weil es den Charakter einer Vermutung trägt. Sodann: Wenn Mt sich an alttestamentliche Vorbilder anlehnt, warum tut es der gute Kenner der LXX Lk nicht? Wir können positiv nachweisen, daß Lk eine Vorliebe für Septuagintismen hat, aber dieses Argument läßt sich kaum negativ verwenden, zumal wenn man gleichzeitig beachtet, daß Lk eine fast genauso starke Präferenz für Plutarchismen kennt,[17] – solche Argumente bedeuten doch wohl nicht sehr viel.

1.2.3.2 Die auffällige Gestalt der lukanischen Seligpreisungen

Dupont hat darauf hingewiesen, daß die Gestalt der Seligpreisungen bei Lk insofern nicht „normal" sei, als ihr Anredecharakter sich erst aus der Näherbestimmung zur Gottesherrschaft ergibt. Der Anredecharakter bei den lukanischen Makarismen ist nur aus dem Begründungssatz: 'denn *Euer* ist die Gottesherrschaft' erkennbar. Hierzu findet sich nach Dupont unter mehreren hundert Seligpreisungen keine Parallele – so ungewöhnlich und auffällig ist diese Konstruktion des Lk. Da darüber hinaus auch noch eine Vorliebe des Lk für die direkte Anrede in der 2. Person erkennbar ist, plädiert Dupont dafür, daß Lk für die Umbildung von der 3. in die 2. Person verantwortlich ist.

Wenn es so etwas wie einen Autoritätsbeweis in der Exegese gäbe, dann müßte sicher dieses Argument diesen Ehrennamen erhalten, zum einen, weil es von dem Autor des dreibändigen Werkes über die Seligpreisungen vorgetragen wurde, zum anderen aber weil die beiden Dissertationen über die Seligpreisungen aus den letzten Jahrzehnten dieser Argumentation voll gefolgt sind.[18]

---

17 Vgl. die bei Haenchen, Apg 65 A. 1 und Schneider, Apg I 69 genannte Spezialliteratur sowie Cadbury, Style 5.
18 Vgl. Maahs, Diss. 88f.; Kähler, Diss. 96-102; Dupont passim; vgl. auch Schürmann, Lk 330f.

Die grammatische Konstruktion der lukanischen Seligpreisungen ist zweifellos auffällig. Was uns aber zu denken gibt, ist die Tatsache, daß Lk bei den Wehe 1 und 2 die Adressaten der 2. Person deutlich nennt, während er dies bei Wehe 3 nicht tut.[19] Legt sich von daher nicht der Schluß nahe, daß Lk der Meinung war, die Konstruktion von Wehe 3 und in Analogie dazu die Konstruktion der Makarismen sei vollkommen in Ordnung?[20] Diese Parallelität der Konstruktion von Seligpreisungen und Wehe bei Lk macht es erforderlich, an dieser Stelle einen Blick auf die lukanischen Wehe zu werfen — ohne einen solchen ist an dieser Stelle der Überlegungen nicht weiterzukommen.

1.2.4 Die lukanischen Wehe

1.2.4.1 Die Weherufe und ihre Traditionsgeschichte in der Sekundärliteratur

Die herausragenden Meinungen sind hier folgende: Entweder werden die Weherufe auf Lk selbst zurückgeführt[21] oder aber auf Q — d.h. letztere Meinung geht davon aus, daß auch Mt die Weherufe gekannt, sie aber nicht übernommen hat.[22] Das läßt sich nach Ansicht mancher Autoren noch am heutigen Mt-Text feststellen.[23] Mt habe, weil er die Weherufe in seinem Tugendkatalog nicht gebrauchen konnte, sie durch vier neue Makarismen ersetzt.[24] Die Wortanklänge zwischen den bei Mt

---

19 Vgl. freilich Dupont I 282 A. 4, wonach die Textüberlieferung nur im ersten Wehe 'Wehe euch', sonst aber nur 'Wehe', also ohne Hinweis auf die 2. Person, liest. Im Gegensatz zur Alandschen Synopse gibt „der neue Aland" (Nestle/Aland, 26. Auflage) zu Wehe 1 und 2 keine Varianten an. Vgl. im übrigen auch den Text in der Synopse von Huck/Greeven. — Diese auffällige Differenz bei den lukanischen Wehe wird geleugnet (oder übersehen?) von Guelich, Sermon 76.

20 Immerhin hat ja auch Thomas-Evangelium log. 54 dieses Nebeneinander beibehalten.

21 So z.B. Dupont und Klein; vgl. a. Hoyt, The Poor/Rich Theme 36.

22 So z.B. Schürmann und Frankemölle.

23 Schürmann, Trad. Untersuchungen 305f. nennt folgende Berührungen zwischen lukanischen Wehe und dem Mt-Text: Lk 6,25 $\pi\varepsilon\nu\vartheta\acute{\eta}\sigma\varepsilon\tau\varepsilon$ (ihr werdet trauern)/ Mt 5,4 $\pi\varepsilon\nu\vartheta\circ\tilde{\upsilon}\nu\tau\varepsilon\varsigma$ (Trauernden); Lk 6,24 $\pi\alpha\rho\acute{\alpha}\kappa\lambda\eta\sigma\iota\varsigma$ (Trost)/ Mt 5,4 $\pi\alpha\rho\alpha\kappa\lambda\eta\vartheta\acute{\eta}\sigma\circ\nu\tau\alpha\iota$ (sie werden getröstet werden); Lk 6,26 $\kappa\alpha\lambda\tilde{\omega}\varsigma$ $\dot{\upsilon}\mu\tilde{\alpha}\varsigma$ $\varepsilon\check{\iota}\pi\omega\sigma\iota\nu$ (sie loben euch)/ Mt 5,11 $\varepsilon\check{\iota}\pi\omega\sigma\iota\nu$ $\pi\tilde{\alpha}\nu$ $\pi\circ\nu\eta\rho\grave{\circ}\nu$ $\kappa\alpha\vartheta'$ $\dot{\upsilon}\mu\tilde{\omega}\nu$ (sie sagen euch alles Böse nach); Lk 6,26 $\psi\varepsilon\upsilon\delta\circ\pi\rho\circ\varphi\tilde{\eta}\tau\alpha\iota$ (falsche Propheten)/ Mt 5,11 $\psi\varepsilon\upsilon\delta\acute{\circ}\mu\varepsilon\nu\circ\iota$ (lügnerisch), vgl. auch Mt 7,15. „Weil er in der Vorlage 6,24 $\dot{\alpha}\pi\acute{\varepsilon}\chi\omega$ las, wird er veranlaßt worden sein, das dreistrophige Lehrgedicht (vgl. Mt 6,2ff., 5f., 16ff.) der Bergpredigt einzufügen". Schürmann führt darüber hinaus als Argument an: „Eine derartige schöpferische Neubildung, wie es die der Weherufe 6,24ff. wäre, kann Lk auch sonst nirgends nachgewiesen werden. Auch ist eine derartige scharfe Kritik an den Reichen kaum lukanisch . . ."

24 So Schürmann, Trad. Untersuchungen 305. Die Ausführungen Schürmanns werden von Frankemölle, Makarismen 64 positiv zitiert.

19

über die Lk-Parallelen hinaus vorhandenen Seligpreisungen und den lukanischen Weherufen wiegen als Argument schwer; wie sind sie zu beurteilen?[25]

1.2.4.2 Die lukanischen Wehe und die matthäischen Makarismen

1.2.4.2.1 Mt 5,4 und Lk 6,24. 25b

Hier ist zunächst darauf hinzuweisen, daß die Annahme einer doppelten Vermittlung von Mt 5,4, dem Makarismus der Trauernden, sowohl durch Jes 61,2 als auch durch das 3. lukanische Wehe (Lk 6,25b) wenig sinnvoll erscheint.[26] Entweder hat Mt — oder wer auch immer — seine 2. Seligpreisung im Hinblick auf Jes 61,2 'zu trösten alle Trauernden' verfaßt oder aber im Blick auf das 3. lukanische Wehe, jedenfalls nicht im Blick auf beide. Da Jes 61,2 *alle* Elemente von Mt 5,4 bis auf den Makarismus enthält, das 3. lukanische Wehe dagegen nicht, ist eine Ableitung aus Jes 61,2 völlig ausreichend. Der Gedanke, das 'ihr werdet trauern' im 3. lukanischen Wehe habe Mt auf den Gedanken an Jes 61,2 gebracht, ist ein unnötiger Umweg — u.a. Frankemölle sieht im übrigen schon in Mt 5,3 einen Anklang an Jes 61,1f. und zieht deswegen Mt 5,3f. zu einem „Makarismus-Paar" zusammen.[27] Was der Hinweis auf einen Anklang an Lk 6,25b bedeuten soll, bleibt so undeutlich. Daraus ergibt sich, daß auch das Motiv des Trostes in Lk 6,24 keinen Zusammenhang mit Mt 5,4 hat — es sei denn, man wolle argumentieren, Mt sei durch das Motiv des Trostes in Lk 6,24 und das der Trauer in 6,25b erst auf Jes 61,2 aufmerksam geworden, eine aus zwei Gründen kaum sinnvolle Annahme[28]:

1. Beide Motive sind noch durch das 2. lukanische Wehe getrennt.
2. Wer, wie viele Autoren, schon Mt 5,3 von Jes 61,1 f. beeinflußt sieht, sollte sich eine solche Annahme verbieten.

So sehr es also auf den ersten Blick auffällig ist, daß beide Elemente der 2. Seligpreisung in den lukanischen Wehe vorkommen, so wenig hält das Argument der Abhängigkeit dieses Makarismus von den lukanischen Weherufen einer genaueren Nachprüfung stand.

---

25 Die Schwierigkeit des hier angesprochenen Problems betont Dupont I 299: „un problème particulièrement difficile et délicat".
26 So schon Schweizer, Mt und seine Gemeinde 71 gegen Frankemölle, Makarismen 64. Wie Frankemölle geht neuerdings wieder Gundry, Matthew 69 von einer doppelten Vermittlung von Mt 5,5 aus, wobei aber Jes 61,2 und Ps 37,11 die vermittelnden Texte sind.
27 Makarismen 69.
28 Zu Duponts Ansicht, die von Jesus stammende Anspielung an Jes 61,2 sei erst von Lk beseitigt worden, vgl. Schweizer, Mt und seine Gemeinde 71 A.9.

1.2.4.2.2 Mt 5,11 und Lk 6,26

Zu καλῶς εἴπωσιν (sie loben) in Lk 6,26 hat Dupont ausgeführt: Dieser Ausdruck „fait antithèse avec celle qu'on trouve dans la dernière béatitude de Matthieu", daraus aber nun nicht eine Kenntnis der lukanischen Wehe abgeleitet, sondern: „encore une fois, la rédaction du *vae* suppose une formulation des béatitudes différente de celle à laquelle Luc s'est arrêté, et elle se rapproche davantage du texte de Matthieu."[29] Zunächst ist darauf hinzuweisen, daß die Struktur des letzten Wehe sich ganz der letzten Seligpreisung verdankt, die bei Mt und Lk im wesentlichen gleich überliefert ist: Wie Wehe 1 parallel zur 1. lukanischen Seligpreisung ein Adjektiv, wie Wehe 2 und 3 parallel zur 2. und 3. Seligpreisung ein Partizip wählen, so wird in Wehe 4 parallel zur 4. lukanischen (und letzten matthäischen) Seligpreisung ein konditionaler Nebensatz gebildet. Ob die lukanische Formulierung καλῶς εἴπωσιν (sie loben) als Antithese zu 'wenn man alles Schlechte gegen euch sagt' aufgefaßt werden muß,[30] ist deswegen fraglich, weil Mt und Lk

---

29 I 310.
30 Immerhin wäre die genaue Antithese adjektivisch und nicht adverbial zu konstruieren: εἴπωσιν πᾶν ἀγαθόν (sie sagen alles Gute). Vgl. auch Horn, Glaube 125: „Wir haben Zweifel, ob in Mt 5,11f. Reminiszenzen an 6,26 vorliegen; bzw. ob (Lk) 6,26 auf die mt Makarismentrad. blickt."
Auf dieses Werk wurde ich leider erst aufmerksam, als die vorliegende Arbeit bereits in Druck war, so daß ich es nicht mehr insgesamt entsprechend würdigen kann. Neben zahlreichen Übereinstimmungen in der literarischen Beurteilung, über die ich mich freue, gibt es freilich auch eine erhebliche Zahl von Divergenzen. So sieht Horn, Glaube 123f. in Übereinstimmung mit seinem Lehrer G. Strecker die Urform der Makarismenreihe in Lk 6,20b. 21a; Mt 5,4, deren Form freilich die „der indirekten Anrede" (warum diese Bezeichnung für Makarismen in der 3. Person?) gewesen sei. Als Gründe führt er an: 1. Alliteration 2. gemeinsamer traditionsgeschichtlicher Hintergrund dieser Makarismen in der Verkündigung Trito-Jesajas 3. Lk 6,24 und 25b setzen mit παράκλησις (Trost) und πενθέω (trauern) Mt 5,4 voraus 4. γελάω (lachen) in Lk 6,21b „widersetzt sich der in den Urmakarismen bestimmenden passivischen Empfangshaltung der βασιλεία (Gottesherrschaft)." 5. Mt 5,4 entspricht genau dieser passivischen Empfangshaltung.
Aber auf die dann entscheidende Frage, wie sich die von Horn angenommene Ersetzung von Mt 5,4 in der Urmakarismenreihe durch Lk 6,21b mit der von ihm als möglicherweise erst nach dieser Ersetzung erfolgten Einfügung der Wehe, die dann aber doch wieder auf den eliminierten Urmakarismus Mt 5,4 Bezug nehmen, verträgt, bleibt Horn die Antwort leider schuldig. Oder nimmt Horn an, daß Mt 5,4 erst bei der Abfassung der Wehe eliminiert wurde? Er spricht nämlich S. 125 von der „Einfügung" von Lk 6,21b und S. 126 von den „Urmakarismen (inklusive 6,21b)" — aber warum wurde dann Mt 5,4 überhaupt aus der Urmakarismenreihe beseitigt?
Was schließlich den Grund für die Bildung der Weherufe angeht, so habe ich doch erhebliche Zweifel, ob diese auf den „Gegensatz einer armen judenchristlichen Gemeinde zu ihrer jüdischen Umwelt, wie sie ihnen durch reiche und angesehene Repräsentanten begegnet", angewiesen ist. Waren solche „Gegner" angesichts der jüdischen Armenfrömmigkeit wirklich nötig? Rich-

in dem Wort 'schmähen' in der letzten Seligpreisung übereinstimmen und die lukanische Formulierung gut als Antithese zu diesem Ausdruck zu begreifen ist. Zumindest als zwingend wird man dieses Argument deswegen nicht ansehen können. Sowohl das Loben als auch die Erwähnung der Pseudopropheten lassen sich sehr gut als Gegenbildung zur letzten lukanischen Seligpreisung begreifen — ein Rückgriff bei den Wehe auf eine andere, bei Mt besser erhaltene Gestalt der Seligpreisungen ist so keineswegs notwendig. — Darüber hinaus sei darauf hingewiesen, daß das letzte lukanische Wehe in seiner Formulierung sowohl als Gegenbildung zur letzten matthäischen als auch als Gegenbildung zur letzten lukanischen Seligpreisung schwierig bleibt, insofern es statt der Vielzahl der dort verwendeten Verben nur eines nennt und statt von den Verfolgern als Gegenbildern zu den Verfolgten der letzten Seligpreisung das Wehe zu Menschen gesprochen sein läßt, über die alle Menschen gut reden.

1.2.4.2.3 Die lukanischen Wehe und Mt 6

Wie ambivalent die Tatbestände gelegentlich sind, kann man an dem letzten Argument Schürmanns sehen, die Formulierung des 1. lukanischen Wehe habe Mt veranlaßt, „das dreistrophige Lehrgedicht (vgl. Mt 6,2ff., 5f., 16ff.) der Bergpredigt einzufügen."[31] Für Dupont dagegen ist diese Formulierung Anlaß zu der Frage, ob sie nicht als Zeichen dafür genommen werden muß, daß Lk die (von ihm nicht übernommenen) Stücke, die Mt im 6. Kapitel überliefert, nicht doch gekannt hat.[32] Da das Verb ἀπέχω (empfangen) in dem in Lk 6,24 begegnenden Sinn im Lk-Evangelium nur an dieser Stelle verwendet wird, ist für die Beurteilung der Frage, ob die Wehe auf Mt 6 Einfluß geübt haben (oder umgekehrt, die matthäische Tradition auf die Wehe), zentral, inwieweit die Annahme Duponts zutrifft[33], παράκλησις (Trost) sei in Lk 6,24 redaktioneller Ersatz für μισθός (Lohn) — denn dann wäre die Parallelität zwischen Mt 6 und Lk 6,24 so weitgehend, daß ein tra-

---

tiger sieht Horn m.E., wenn er sagt, die Weherufe „dienen vornehmlich der Fixierung der eigenen Position". (135)

Daß 'ihr werdet trauern' in Lk 6,25b sich „sicher" auf Mt 5,4 bezieht, ist angesichts des topischen Nebeneinanders von 'trauern' und 'weinen' m.E. keineswegs sicher.

Ohne die Verdienste dieser Arbeit schmälern zu wollen, sei sogleich noch ein weiterer Kontroverspunkt genannt: Warum Horn den Ausgangspunkt für die Bildung der Wehe gerade in Lk 6,21b finden will, ist mir nicht einsichtig geworden. Es stehen doch nicht „passiv empfangene Gaben" und aktive Tätigkeiten („sinnenfrohes Lachen") einander gegenüber, sondern es geht sowohl in den Makarismen als auch in den als Widerlager zu diesen gebildeten Weherufen um die eschatologische Umkehrung der jetzigen Verhältnisse — ob diese erarbeitet (was ja nicht notwendig ein positiver Aspekt ist, was freilich in einer u.a. von Sklaverei geprägten Gesellschaft deutlicher ist) oder empfangen sind, steht dabei nicht im Vordergrund.

31 Trad. Untersuchungen 306.
32 I 163 A. 1.
33 Ebd.

22

ditionsgeschichtlicher Zusammenhang wohl kaum zu leugnen wäre. Daß Lk hier μισθός (Lohn) durch παράκλησις (Trost) ersetzt haben soll, ist aber schon deswegen unwahrscheinlich, weil Lk in 6,23 die auch bei Mt vorhandene μισθός (Lohn) -Formel bietet; zwar schreibt Lk in der Parallele zu Mt 5,46 statt μισθός (Lohn) χάρις (Dank), aber er setzt in 6,35b ganz betont die Formel καὶ ἔσται ὁ μισθὸς ὑμῶν πολύς (und euer Lohn wird groß sein), wie daraus ersichtlich ist, daß diese Formel die Antwort auf die dreimalige Frage ποία ὑμῖν χάρις ἐστίν (welchen Dank erwartet ihr dafür) darstellt[34]. Ist so eine Ersetzungstendenz für μισθός (Lohn) – vgl. auch noch Lk 10,7 mit Mt 10,10b – bei Lk nicht erkennbar, so ist die Abhängigkeit von Lk 6,24 von Mt 6 nicht so offensichtlich, wie es bei Dupont erscheint. Gegen die Abhängigkeit des lukanischen 'ihr habt (keinen Trost mehr) zu erwarten' von Q kann immerhin folgendes vorgetragen werden: Es darf als allgemein anerkannt gelten, daß Lk die Reihenfolge der Logienquelle besser erhalten hat als Mt, da letzterer die Zusammenstellung der Einzelstücke wesentlich stärker unter systematischen Gesichtspunkten betrieben hat. Einziger Anhaltspunkt für eine Einordnung von Mt 6,1-18 ist das Vaterunser, das Lk erst in 11,2-4 überliefert. Ebenso wie einerseits Mt das Vaterunser erst in die Trilogie von Almosen, vom Beten und vom Fasten ad vocem Beten eingefügt haben kann,[35] kann andererseits das Vaterunser darauf hinweisen, daß diese Trilogie gar nicht in Q im Zusammenhang mit dem Stoff Lk 6,20ff. überliefert worden ist, was aber eine wesentliche Voraussetzung für die These Schürmanns ist, daß Lk sich zu der Formulierung 'ihr habt euren Trost dahin' durch Mt 6,1 leiten ließ. Beachtet man gleichzeitig, daß sowohl die lukanische als auch die matthäische Formulierung zwar innerhalb der Evangelien einzigartig ist, ansonsten aber einen überaus weit verbreiteten Terminus technicus der Finanzsprache darstellt[36], dann wiegt diese Übereinstimmung vielleicht doch nicht so stark, wie man sonst anzunehmen geneigt ist.[37]

Ist so eine Abhängigkeit der lukanischen Wehe von der vormatthäischen Gestalt der Makarismen nicht zu erweisen, so ist umgekehrt zu fragen, ob sich eine Kenntnis der Wehe für Mt nachweisen läßt.[38]

---

34 Vgl. dazu die Überlegungen von Theißen, Studien 165ff.: „Für eine Deutung von 'Dank' als Lohn Gottes spräche der Austausch von χάρις gegen μισθός bei der Wiederholung des Gebotes zur Feindesliebe (Lk 6,35). 'Lohn' meint hier eindeutig eschatologischen Lohn. Jedoch könnte die Variation des Wortes ja gerade einen Übergang von einem immanenten zu einem transzendenten Lohn andeuten!" (167).
35 Vgl. dazu Dupont I 161 (Lit.).
36 Vgl. dazu Deissmann, A., Licht vom Osten. Das Neue Testament und die neuentdeckten Texte der hellenistisch-römischen Welt, Tübingen 2+31909, 77ff.: „in unzähligen dieser Texte begegnet es uns in einer Bedeutung, die ausgezeichnet auch in das Jesus-Wort vom Lohn paßt". „. . . daß in das hart klingende Wort Jesu von den Heuchlern diese technische Bedeutung von ἀπέχω, die jedem Hellenisten bis zum letzten Tagelöhner bekannt war, gut paßt: sie haben ihren Lohn weg (d.h. sie haben, als hätten sie schon quittiert, absolut keinen Anspruch mehr auf Lohn)." Vgl. auch noch ders., Neue Bibelstudien, Marburg 1897, 56.
37 Vgl. Bauer, Wörterbuch s.v.; Dupont I 163 A.1.
38 Vgl. Schürmann, Trad. Untersuchungen 305; Frankemölle, Makarismen 64.

1.2.4.3 Mt und die lukanischen Wehe

1.2.4.3.1 Anhaltspunkte für matthäische Kenntnis der Wehe?

Auf Mt 5,4 wird man bei dieser Frage wie ausgeführt nicht rekurrieren dürfen. Daß εἴπωσιν πᾶν πονηρὸν καθ'ὑμῶν (sie sprechen alles Böse gegen euch) in Mt 5,11 sich an καλῶς ὑμᾶς εἴπωσιν (sie loben euch) in Lk 6,26a anlehnen soll – was ja wohl eine Anlehnung an die entsprechende Seligpreisung bei Lk wenigstens in diesem Zug ausschließt – ist angesichts der merkwürdigen Formulierung in Lk 6,22 ἐκβάλωσιν τὸ ὄνομα ὑμῶν ὡς πονηρὸν ἕνεκα τοῦ υἱοῦ τοῦἀνθρώπου (euren Namen wie Böses hinauswerfen um des Menschensohnes willen) auch keineswegs zwingend.[39] Und daß das Verb ἀπέχω (empfangen) in Lk 6,24 ihn veranlaßt haben soll, „das dreistrophige Lehrgedicht (vgl. Mt 6,2ff., 5f., 16ff.) der Bergpredigt einzufügen"[40], wird man kaum als zwingendes Argument ansehen können. Gleichwohl soll hier gewissermaßen als Gegenkontrolle gefragt werden, ob denn die Gründe, die die Autoren für die matthäische Auslassung der bei Lk überlieferten Weherufe nennen, zutreffen.

1.2.4.3.2 Gründe für Mt, die Wehe auszulassen?

Nach Frankemölle[41] hätten die Weherufe in der ersten programmatischen Rede Jesu die Intention des Mt, nämlich die positive Entfaltung des Heilsangebotes, gestört, und der Autor des 1. Evangeliums habe sich die geschlossene Form der Wehe für das Kapitel 23 aufgespart. Aber warum führt Mt sie in Kap. 23 nicht an, dem doch nach Ausweis von Mt 23 und Mt 5,3ff., 21ff.; 6,1ff. an der Stilfigur der Wiederholung durchaus liegt? Was das erste Argument anbetrifft, so zeigt gerade das Verhalten des ersten Evangelisten in Kapitel 6, daß er sich durch die Intention der „positive(n) Entfaltung des Heilsangebotes durch Jesus" keineswegs die Nennung von Gegenbeispielen – und genau das wären die Wehe im Kontext der Seligpreisungen des Mt! – verbieten läßt.

Das Argument Schürmanns schließlich, Mt habe in seiner Tugendtafel die Weherufe nicht gebrauchen können,[42] darf wohl bezweifelt werden – wo es um Tugenden geht, da sind nicht nur positive Beispiele, sondern erst recht negative Beispiele willkommen. Wem das nicht einleuchtet, den vermag Mt 6,1ff. vielleicht zu überzeugen.

Mag es auch angesichts der angeführten Wortparallelen zunächst überraschend klingen, daß zwischen den lukanischen Wehe und den bei Mt überlieferten Makarismen kein literarischer Zusammenhang bestehen soll, so muß doch wohl damit gerechnet werden, zumal diese Überschneidungen bei In-Rechnungstellung des alttestamentlichen Einflusses auf die bei Mt über Lk überschießenden Seligpreisungen erheblich reduziert sind.

---

39 Vgl. dazu ThWNT VI 562, 12ff.
40 So Schürmann, Trad. Untersuchungen 306, übernommen von Frankemölle, Makarismen 64.
41 Makarismen 64-66; ebenso Schürmann, Trad. Untersuchungen 305.
42 Trad. Untersuchungen 305.

1.2.4.3.3 Redaktionelle Bildung der Wehe durch Lk?

Es muß nun abschließend zu den Wehe gefragt werden, ob diese sich als redaktionelle Bildung des Lk — allerdings ohne den Einfluß der bei Mt überlieferten Seligpreisungen — verstehen lassen.[43] Die Auseinandersetzung sei mit der jüngsten Meinungsäußerung zu dieser Frage, die von P. Klein stammt, begonnen.

Klein versucht, den lukanischen Ursprung der Wehe mit Hilfe einer doppelten Argumentation zu erweisen:[44]

1. durch positiven Nachweis lukanischer Redaktion;

2. durch Entkräftung der für eine Kenntnis der Weherufe durch Mt vorgetragenen Argumente.

Als einziges Argument unter 2 wird angeführt, daß der ungeschickte Übergang in Lk 6,27a keine Bedeutung für die Zuweisung der Wehe an Redaktion oder Tradition aufweist. — Hierzu ist zunächst darauf hinzuweisen, daß Lk 6,27a die folgende Rede wieder auf die Zuhörer bezieht, also voraussetzt, daß der vorangehende Stoff (Lk 6,24ff.) nicht so oder nicht so direkt auf die Zuhörer zu beziehen war wie der nun folgende, d.h. Lk 6,27a setzt die vorangehenden Wehe voraus,[45] in-

---

43 Die Äußerungen Duponts hierzu sind äußerst abgewogen und vorsichtig. Er bezeichnet die Frage nach dem Ursprung der Wehe nicht nur als besonders schwieriges Problem (I 299), sondern spricht auch von der Zweideutigkeit der Ergebnisse (I 312).

44 Weherufe 152ff.

45 Insofern kann m.E. überhaupt nicht davon die Rede sein, daß Lk 6,27a ursprünglich einmal in der gegenwärtigen Form an Lk 6,23 angeschlossen habe, gegen Lagrange, zitiert bei Dupont I 315. Dupont III 29f. 36 will eine ähnliche Funktion wie der Überleitungswendung in Lk 6,27a auch dem adversativen πλήν (doch) in 6,24a zuweisen. Mir scheint dieses πλήν (doch) eher zur deutlichen Trennung von Makarismen und Wehe eingeführt zu sein denn als Vorbehalt gegen das 'Wehe *euch*'. Schottroff/Stegemann, Jesus von Nazareth 92f. lassen Lk 6,20b-26 an die Jünger, 6,27ff. aber an das Volk (vgl. 6,17f. 20a) gesprochen sein. Zutreffender Schürmann, Gottes Reich 84.
Meier, Law 127 will in Lk 6,27a die Reste einer in Q vorhandenen antithetischen Form erkennen. Aber in Lk 6,27a fehlt ja gerade das für das antithetische Schema zentrale und betonte 'ich'. Der Ton liegt in Lk 6,27a im Gegensatz zum antithetischen Schema, wo er auf 'ich' liegt, auf 'euch' (die *ihr* hier zuhört) — insofern kann m.E. keine Rede davon sein: „It is not impossible, that Lk preserves the remnants of what was an antithesis in the Q-tradition." — Vgl. zum Problem neuestens P. Hoffmann, Tradition und Situation 50ff. Hoffmann selbst urteilt: „Da bei Lk die Wendung zweifellos die Funktion hat, nach den Weherufen gegen die Reichen zum ursprünglichen Hörerkreis zurückzuführen (vgl. 6,17), liegt die Vermutung nahe, daß Lk die Wendung ganz gebildet oder doch wenigstens durch τοῖς ἀκούουσιν (die ihr zuhört) ergänzt und dem Kontext angepaßt hat." Vgl. auch ebd. 51 A. 3 die Auseinandersetzung mit der entgegengesetzten Ansicht.

dem er zwischen den Zuhörern der Bergpredigt und den Adressaten der Wehe unterscheidet. Lk 6,27a teilt im übrigen, was seine Beurteilung in der Literatur angeht, das Schicksal der lukanischen Weherufe, da er von den Exegeten sowohl als traditionelles als auch als redaktionelles Element beurteilt wird[46] — wobei die Zuweisung an die Tradition von Q die Konsequenz unmittelbar nach sich zieht, auch die Wehe und dann auch die Makarismen in der 2. Person auf die Vorlage des Lk (Q oder Q[Lk]) zurückzuführen.[47] Diese Überleitung (Lk 6,27a), von wem auch immer sie stammt, spiegelt deutliche Reserven gegenüber den Wehe in der 2. Person im jetzigen Zusammenhang. Sie macht deutlich, daß nach Auffassung des Verfassers dieser Überleitung die Weherufe, die sich im jetzigen Zusammenhang und in der jetzigen Formulierung auf die Adressaten der lukanischen Feldrede und damit in besonderer Weise auf die Jünger beziehen (vgl. Lk 6,20a), nicht in gleicher Weise auf die Jünger bezogen werden dürfen wie die Seligpreisungen und das in Lk 6,27ff. folgende Material. Daraus folgt aber, daß der Verfasser von Lk 6,27a kaum ein Interesse an einer Umformulierung der lukanischen Wehe von der 3. in die 2. Person oder an einer Schaffung der lukanischen Wehe in der 2. Person gehabt hat, da die 2. Person seinen Ansichten gerade entgegenläuft. Mag Lk 6,27a also von Lk stammen oder von ihm in Q (Q[Lk]?) bereits vorgefunden worden sein, Lk 6,27a spiegelt durch das in ihm enthaltene „Ressentiment" gegenüber dem Kontext der Weherufe mit ihrer Anrede der 2. Person die Traditionalität der Wehe in der 2. Person wider und weist diese damit automatisch zumindest als vorlukanisch aus. — Obwohl diese Folgerung m.E. unwiderlegbar ist — die Weherufe in der 2. Person und die neue Anrede in Lk 6,27a gehen nicht auf die gleiche Hand zurück![48] — ist es ange-

---

46 Vgl. Dupont I 189f. 313f. (aber auch III 34ff.); Strecker, Antithesen 41: lukanisch; anders Ott, Gebet und Heil 100: vielleicht Q-Gut. Ebenso Lührmann, Liebet 417; Schürmann, Lk 345. 335; ders., Trad. Untersuchungen 307. Vgl., daß Ott gerade das von Dupont als lukanische Eigenart bezeichnete ὑμῖν λέγω (ich sage euch) (mit Voranstellung des Personalpronomens) als Eigenart der Lk bereits vorliegenden Tradition bezeichnet. Ob τοῖς ἀκούουσιν (die ihr hört) auf V. 17 Bezug nehmen soll, ist immerhin fraglich. Einfaches ὑμῖν (euch) kann in V. 27a jedenfalls nicht genügen, da ὑμῖν (euch) in V. 24a und 25a sich ja gerade nicht auf die Zuhörer beziehen soll. Die Überlegungen bei Dupont I 189f. 313f. und Schürmann, Trad. Untersuchungen 306 A. 75, daß τοῖς ἀκούουσιν (die ihr hört) mit dem matthäischen ἠκούσατε (ihr habt gehört) in der Einleitungsformel der Antithesen literarisch zusammenhänge, sind angesichts der Verwandtschaft dieser Einleitungsformel zu rabbinischen Formeln völlig überflüssig. Vgl. dazu Broer, Freiheit 108ff. — Für die hier vorgetragene Ansicht ist es gleichgültig, ob Lk 6,27a von Lk stammt (so Dupont I 313f.) oder von Lk bereits vorgefunden wurde. Die Zusammenfassung von Jüngern und Volk als Adressaten der Berg- und Feldrede dürfte auch schon in Q vorgelegen haben. Vgl. zu der Adressatenangabe der Bergpredigt neuerdings Lohfink, Bergpredigt.

47 Dazu, daß die Wehe nicht unabhängig von den Makarismen entstanden sein können, vgl. unten und Dupont I 303f.

48 Klein, Weherufe 152 sieht auch die Spannung zwischen Lk 6,24-26 und 6,27a, ohne aber zu erkennen, daß diese Spannung eine lukanische Bildung der Weherufe unmöglich macht.

sichts der Situation der neutestamentlichen Exegese wichtig, auch die für die Re- daktionalität der lukanischen Wehe vorgetragenen Meinungen durchzuprüfen und auf ihre Tragfähigkeit zu hinterfragen. Wir wählen zur Auseinandersetzung wiederum die Ausführungen von Klein, wobei die Meinungen anderer Autoren durchaus mitberücksichtigt werden.

Daß die lukanischen Wehe nur als im Zusammenhang mit oder in Abhängigkeit von den Makarismen[49] entstanden gedacht werden können, versteht sich von selbst und besagt für lukanische Verfasserschaft nichts. Die Annahme, Lk habe die Makarismen in die 2. Person umgewandelt und die Wehe dann parallel dazu ebenfalls in der 2. Person neu formuliert, scheint angesichts der Zurückhaltung, die in Lk 6,27a zum Ausdruck kommt, wenig wahrscheinlich. Πλήν (doch) kann lukanisch sein,[50] ohne daß damit gleich auch die Wehe der Redaktion des Lk zugewiesen werden müssen. Über das Adjektiv 'reich' zu streiten[51] hat wenig Sinn, da es hier zum sachgebundenen Vokabular gehört, wohl aber über παράκλησις (Trost) – hier genügt es einfach nicht, auf redaktionellen Gebrauch in der Apg hinzuweisen,[52] zumal dort, wie Klein selbst sieht, eine andere Bedeutung dieses Wortes vorherrscht.[53] Ein durchschlagendes Argument für lukanische Abfassung des 1. Wehe kann ich bei Klein nicht entdecken.[54]

Für die Redaktionalität von Lk 6,25a kann angesichts der Reziprozität dieses Wehe zu der vorangehenden 2. Seligpreisung nur auf ἐμπίμπλημι (hier: sättigen) abge-

---

49 Vgl. nur Dupont I 303f. Sehr dezidiert in dieser Hinsicht auch Horn, Glaube 125.

50 Vgl. dazu Dupont I 318.312.

51 Schürmann, Lk 337 A. 88 hält πλούσιος (reich) für nicht lukanisch und verweist darauf, daß acht Belege im lukanischen Sondergut nicht entscheidbar sind; Klein, Weherufe 154 meint, die Tatsache, ,,daß das Wort πλούσιος bei Lk 11-mal gegenüber 3-mal bei Mt und 1-mal bei Mk vorkommt", habe schon für sich Bedeutung. Darf man aus der Ersetzung der umständlichen markinischen Formulierung ἦν γὰρ ἔχων κτήματα πολλά (denn er hatte viele Güter) durch ἦν γὰρ πλούσιος σφόδρα (denn er war sehr reich) (Mk 10,22 par Lk 18,23) auf lukanische Vorliebe für dieses Wort schließen? – In Lk 6,24 gehört das Wort jedenfalls zum sachgebundenen Vokabular.

52 Klein, Weherufe 155 beruft sich dafür auf Haenchens Kommentar zur Apg.

53 Allerdings will neuestens Schneider, Apg II 131 A. 27 Lk 6,24 wieder mit Apg 15,31 zusammensehen.

54 Weherufe 155: ,,Das Wort παράκλησις taucht innerhalb der Synoptiker nur bei Lk auf, der es auch innerhalb der Act 4-mal verwendet: Lk 2,25; 6,24; Act 4,36; 9,31; 13,15; 15,31. Für diese Stellen läßt sich mit großer Wahrscheinlichkeit lk Herkunft nachweisen, gehören sie doch alle entweder zu Texten ohne synoptische Parallelen oder zu deutlich als redaktionell erkennbaren Stücken der Act. Aufschlußreich für das Verständnis dieses Begriffs in V. 24 ist aber lediglich die andere Stelle im Evangelium Lk 2,25". Mit ἀπέχω (empfangen) als lukanischem Hapaxlegomenon läßt sich kaum zuverlässig argumentieren.

hoben werden, welches Verb Lk nach Klein in Apg 14,17 redaktionell verwendet,[55] so daß sich auch hier die Annahme redaktioneller Verfasserschaft nahelege. Selbst unter der Voraussetzung, daß Lk sowohl für Apg 14,17 wie für Lk 1,53 verantwortlich ist,[56] kann Lk 6,25a sehr wohl vorlukanisch sein, da zum einen $\chi o \rho \tau \acute{a} \xi \omega$ (sättigen) und $\dot{\epsilon} \mu \pi \acute{\iota} \mu \pi \lambda \eta \mu \iota$ (hier: sättigen) synonym gebraucht werden (vgl. nur Ps 106,9 LXX), Lk 1,53 auf Ps 106,9 zurückgeht und das Nebeneinander von $\pi \epsilon \iota \nu \acute{a} \omega$ (hungern) und $\dot{\epsilon} \mu \pi \acute{\iota} \mu \pi \lambda \eta \mu \iota$ (hier: sättigen) / $\chi o \rho \tau \acute{a} \xi \omega$ (sättigen) als stereotyp bezeichnet werden kann (vgl. außer Ps 106,9 LXX; Spr 6,30; Jer 38,25 LXX; auch noch Jes 9,19;58,10).

Das einzige im 3. Wehe über die 3. lukanische Seligpreisung hinausgehende Element besteht in 'trauern', für das zwar nach Klein eine lukanische Vorliebe nicht erwiesen werden kann, das sich aber hier auch eher „einer traditionsgeschichtlichen Gesetzmäßigkeit" verdankt[57]. Dieses Argument Kleins kann ebenso für die These der Traditionalität der Wehe eingesetzt werden und ist insofern beliebig[58]. – Bleibt so manches Argument, das für oder gegen die redaktionelle Abfassung der lukanischen Wehe angeführt wird, durchaus ambivalent, wie schon Dupont angemerkt hat,[59] so scheint sich mir doch aus Lk 6,27a zu ergeben, daß der Verfasser dieses Versteiles Schwierigkeiten gerade mit den Wehe in der 2. Person empfunden hat und diese Problematik der 2. Person der Weherufe durch Lk 6,27a den Hörern und Lesern signalisieren und dadurch die Wehe in seinem Sinne verstehbar machen wollte. – Wer aber so vorgeht, schafft sich die Schwierigkeiten nicht selbst, deswegen muß damit gerechnet werden, daß trotz der von Cadbury[60] dargestellten Tendenz des Lk zur 2. Person der 3. Evangelist nicht für die Wehe in der 2. Person und damit überhaupt nicht für die Wehe verantwortlich ist, außer der Tatsache, daß er sie aus seiner Quelle übernimmt und sich damit wenigstens *in gewisser Weise* – vgl. aber den in Lk 6,27 a ausgesprochenen Vorbehalt – mit der Aussage der Wehe identifiziert.

---

55 Klein, Weherufe 156; vgl. auch Dupont I 309, der von dem Partizip $\dot{\epsilon} \mu \pi \epsilon - \pi \lambda \eta \sigma \mu \acute{\epsilon} \nu o \iota$ (ihr Satten) schreibt, „que Luc, sans doute, aura préferé, et qui en tout cas, répond à son vocabulaire".

56 Vgl. Dupont I 308 A. 3. Zum Magnifikat vgl. nur Schneider, Lk I 56: Entweder der erste Erzähler der Rahmengeschichte oder gar Lk selbst, „der ein Meister der LXX-Imitation gewesen ist", kommen als Autoren in Frage. Vgl. auch die Liste von Minear, Funktion 207f.

57 Klein, Weherufe 156. Woran Klein denkt, ist nicht ganz deutlich, vermutlich an die Nähe von $\kappa \lambda a \acute{\iota} \omega$ (weinen) und $\pi \epsilon \nu \vartheta \acute{\epsilon} \omega$ (trauern), die nicht nur im Neuen Testament (Lk 23,28 D; Jak 4,9; Apk 18,11.15.19; Mk 16,10) belegt ist, sondern auch im AT und Spätjudentum, vgl. z.B. TestJud 25,5.

58 Daß die Zurückführung der lukanischen Wehe auf Q^Lk deren Bearbeitung durch den Evangelisten nicht ausschließt, versteht sich von selbst, vgl. etwa zum 4. Wehe die Bemerkung von Dupont I 310ff.; Schürmann, Lk 339.

59 I 312.

60 Style 124ff.; ebenso Dupont I 277f., III 24ff.

28

1.2.4.3.4 Einwand: Die 2. Person der Makarismen stammt von Lk!

Das bislang erarbeitete Ergebnis, daß nämlich Lk die Wehe schon in seiner Quelle vorfand, was dafür spricht, daß zwischen Q^{Lk} und Q^{Mt} zu unterscheiden ist — diese Frage kann aber nur auf Grund einer Gesamtanalyse von Q beantwortet werden — und daß diese dort auch schon in der 2. Person abgefaßt waren, was dann ja wohl auch Makarismen in der 2. Person voraussetzt, begegnet aber nun dem bereits erwähnten und mit hoher Autorität ausgestatteten Einwand: Diese Lösung könne schon deswegen nicht zutreffen, weil die merkwürdige Gestalt der lukanischen Makarismen sich eigentlich nur verstehen lasse, wenn der Autor des Evangeliums ad Theophilum selbst erst den Wechsel von der 3. in die 2. Person vorgenommen habe. Hinter diesem Einwand steckt insofern ein großes Problem, als nicht klar ist, wodurch die 2. Person überhaupt veranlaßt ist. Ist sie von den Wehe her veranlaßt/eingedrungen?[61] Dieser Ansicht ist Dupont, der drei Gründe für den überaus auffälligen Tatbestand anführt, daß Lk — nach seiner Auffassung — selbst für die 2. Person der Wehe verantwortlich ist, die er eigentlich aber gar nicht meint: „Si cette conclusion est exacte (sc. daß die Wehe sich nicht an die Jünger richten), il est clair que le 'vous', adressé à des absents, ne possède plus ici sa signification normale. Si Luc l'a employé malgré l'idée qu'il se fait de l'auditoire de Jésus, c'est qu'une autre raison devait lui imposer cette formulation: soit que les *vae* se présentaient ainsi dans sa source, soit qu'il ait voulu une correspondance exacte avec les béatitudes, soit enfin qu'il n'ait pas jugé nécessaire de déroger à la loi générale du style du *vae*, qui s'expriment normalement à la deuxième personne. Cette dernière explication nous paraît la plus vraisemblable." (III 36 f.).

Oder hat Lk 6,22 par Mt 5,11f. die 2. Person bei Lk veranlaßt? Schaut man sich den Urtext von Makarismen und Wehe an, so fällt auf, daß Wehe 1 und 2 (oder nur Wehe 1[62]) im Gegensatz zu Makarismus 1 und 2 den Anredecharakter deutlich und von Anfang an herausstellen. Da ein Gattungs- oder Formzwang zur 2. Person bei den Wehe nicht besteht[63], obwohl die Anzahl der Wehe in 2. Person in

---

61 Vgl. dazu aber Kähler, Diss. 97.

62 Vgl. Dupont I 282 A. 4.

63 So freilich Dupont I 282 A.4. Wenn er dort auch eine beachtliche Zahl von Wehe in 2. Person aufführt, so ist das jeweils zugrundeliegende Korpus genau zu bedenken. Geht man zunächst von der veritas hebraica aus, so findet Ch. Hardmeier 37 hier heranzuziehende Belege, von denen wohl nur fünf einen direkten Hinweis auf die 2. Person enthalten (vgl. Wolff, Joel und Amos 285), wobei der Rest ganz überwiegend die 3. Person enthält. Legt man freilich als Korpus die Apokryphen zugrunde und stützt sich auf den von J.B. Bauer herausgegebenen und erweiterten Clavis Librorum Veteris Testamenti Apocryphorum Philologica, Graz 1972, so ergibt sich sogar ein leichtes Übergewicht für die 2. Person über die 3. Entscheidend aber dürfte für die Beurteilung der von Dupont angenommenen Form des Normal-Wehe sein, daß uns einige Wehe-Reihen überliefert sind, wo die 2. und 3. Person direkt nebeneinander gebraucht sind: Jes 5,8ff.; Sir 2,12-14; äHen 99,13-15; vgl. auch Am 6,1f., wo das Wehe in der 3. Person ergeht, die Fortsetzung aber in der 2. Person erfolgt. Schon diese Tatsache dürfte zeigen, daß von einer „Normalität" der 2. Person bei den Wehe keine Rede sein kann. Eine Statistik für hôj würde dieses Bild nicht verändern, vgl. THAT I 474 ff., bes. 476.

Relation zu den übrigen Personen höher ist als bei den Makarismen, ist es auch wenig wahrscheinlich, daß von den in 2. Person abgefaßten Wehe her die 2. Person in die Makarismen eingedrungen ist. Diese Vermutung legt sich ja nahe, da in zwei der drei Wehe – die letzte Seligpreisung (und bei Lk das 4. Wehe) spielt ja nicht nur bei Mt eine Sonderrolle – der Anredecharakter schon im Weheruf wesentlich deutlicher ist als bei den Seligpreisungen. D.h. wir haben den Tatbestand zu erklären, daß bei Lk die Makarismen – in einer äußerst auffälligen und wohl einmaligen grammatischen Konstruktion – und die Wehe in der 2. Person Plural abgefaßt sind, daß gleichzeitig aber – und das sollte nicht übersehen werden – auch eines der Wehe (oder zwei), nämlich (zumindest) das 3. ebenfalls diese auffällige Konstruktion der Makarismen aufweist. Daraus ergeben sich folgende Schlußfolgerungen:

1. Für Lk zumindest hatte die heute als äußerst ungewöhnlich erscheinende grammatische Konstruktion nichts Besonderes an sich, wie sich nicht nur aus der Überlieferung der Makarismen, sondern auch aus dem 3. Wehe ergibt.

2. Wenn Lk für die Wehe verantwortlich ist, so wäre ihm, da er Wehe 1 und 2 unseren grammatischen Erwartungen genau entsprechend exakt formuliert, wohl auch eine entsprechende Formulierung/Umformung der Makarismen zuzutrauen.

3. Wenn Lk ein so starkes Interesse an den Wehe hatte, wie es deren Neubildung widerspiegeln würde, so hätte er angesichts seiner auch von Dupont herausgestellten starken Vorbehalte gegen die Wehe in der gegenwärtigen Form doch wohl die Signale im heutigen Text genau umgekehrt gesetzt: starke Betonung des Zuspruchs bei den Seligpreisungen, möglichst schwache Betonung der 2. Person bei den Wehe. Lk als Umformer der Makarismen in die 2. Person und als Neubilder der Wehe in ihrer heute vorliegenden Gestalt passen doch wohl nicht zusammen![64]

Der Nachweis, daß Lk für die 2. Person in den Seligpreisungen verantwortlich ist, scheint so nicht gelungen. Damit ist der Weg frei für unsere Hypothese: Lk fand die Makarismen und die Wehe schon in der 2. Person vor, hat sie geringfügig überarbeitet und mit erkennbarer Mühe in seinen Kontext eingefügt.

1.2.4.4 Die lukanischen Wehe und die Seligpreisungen

Die lukanischen Weherufe waren angesichts der Frage in den Blick gekommen, ob die Seligpreisungen ursprünglich in der 3. oder in der 2. Person abgefaßt worden waren. Aus unserer Analyse ergab sich, daß die lukanischen Wehe dem Lk wohl schon in der 2. Person vorgelegen haben, was angesichts der Parallelbildung der

---

64 Daß dieses Ergebnis rein negativ ist und den gegenwärtigen Text und seine Genese in keiner Weise erklärt, sei wenigstens angemerkt.

Wehe zu den Seligpreisungen dann auch für letztere gelten muß.[64a] Ist somit zwar die lukanische Version der Seligpreisungen als vorlukanisch zu betrachten, so ist die Frage, welche Person die Ursprünglichkeit für sich beanspruchen kann, noch keineswegs entschieden. Bevor wir diese Frage weiter verfolgen, sei noch einmal die Bedeutung dieses Problems reflektiert: Wir hatten zu Anfang ausgeführt, daß literarkritische Fragen nicht nur zur Interpretation von Texten, sondern auch zur Erkenntnis von Tendenzen und Strömungen in der Kirche des 1. Jahrhunderts etwas beitragen. Angesichts der Tatsache, daß auf dem diskutierten Gebiet fast alles umstritten ist, dürfte der letztere Erkenntniszweck literarkritischer Arbeit hier freilich weitgehend entfallen, so daß zu fragen ist: Welche Bedeutung kommt der Frage nach der Ursprünglichkeit der 2. oder 3. Person für die Interpretation der Seligpreisungen zu. Ohne schon auf später Auszuführendes vorzugreifen, ist hier darauf hinzuweisen, daß der 3. Person bei den Makarismen nach weitverbreiteter Ansicht ein Aufforderungscharakter eigen ist: In den Seligpreisungen wird, wer 'arm' (im Geist) ist usw., glücklich gepriesen; da jeder gern in einem glücklich-/ seligzupreisenden Zustand leben möchte, wird hier auf (kaum noch?) indirekt zu nennende Weise zu einem solchen Verhalten aufgerufen. Deswegen werden die Makarismen des Mt so häufig als Tugendtafel oder ähnlich bezeichnet.[65] Davon ist die lukanische, von einer ganzen Reihe von Autoren als ursprünglichere angesehene Form der Makarismen in der 2. Person[66] zu unterscheiden: „Hier ist nicht eine allgemeingültige Aussage formuliert, der jeder zustimmen wird, der die entsprechenden Voraussetzungen teilt, sondern hier geschieht Zuspruch, der für die Angeredeten eine ganz neue Lage herstellt. Unter dem Akt dieses Zuspruchs, unter dem Akt der Verkündigung der βασιλεία (Reich Gottes) *werden* aus den Angeredeten μακάριοι (Selige)"[67]. „Die Heilrufe zu Beginn der Feldrede unterscheiden sich also von den Vorlagen darin, daß sie als direkter Zuspruch an die eben jetzt vor dem Sprecher Stehenden formuliert sind."[68] Daß der 2. Person ein solcher Zuspruchscharakter eigen sein *kann*, ist nicht zu bestreiten; ob er den lukanischen Makarismen auch eigen ist, muß nach den verschiedenen Stadien der Überlieferung differenziert beurteilt werden. – Die lukanische Zurückleitung zu den Zuhörern in Lk 6,27 a zeigt, daß *Lk* die Wehe nicht in gleicher Weise auf die Zuhörer beziehen will wie die Seligpreisungen, insofern dürfte das Verständnis des Lk bei den Seligpreisungen *tendenziell* durchaus in die oben zitierte Richtung gehen. Wir haben aber gesehen, daß dieser Vorbehalt gegen die Wehe in der 2. Person die Bildung der Wehe / die Umformung in die 2. Person bereits voraussetzt. Es dürfte also eine

---

64a So auch Guelich, Beatitudes 420 A. 33; woraus Hoyt, The Poor/Rich Theme 36 entnimmt, daß „the woes are all addressed to the absent ones and only the fourth one is meant for the disciples, in contrast to the beatitudes which are addressed to the disciples", ist mir nicht deutlich geworden.

65 Vgl. Dibelius, Bergpredigt 93; Kähler, Diss. 89; Frankemölle, Jahwebund 280f.; abgelehnt neuerdings wieder von Burchard, Versuch 418; Koch, Formgeschichte 9. Eichholz, Bergpredigt 44ff. versucht zwischen Indikativ und Imperativ zu vermitteln.

66 Vgl. z.B. Schweizer, Mt und seine Gemeinde 73; Walter, Seligpreisungen 252.

67 Walter, Seligpreisungen 253.

68 Schweizer, Mt und seine Gemeinde 73.

vorlukanische Phase der Überlieferung der Seligpreisungen gegeben haben, in der die Makarismen und Wehe in der 2. Person gleichberechtigt nebeneinander gestanden haben. Für diese Phase verbietet sich das Verständnis der 2. Person als Zuspruch; müssen hier nicht Makarismen und Wehe konditional verstanden worden sein: Selig seid Ihr, wenn . . .! Wehe Euch, wenn . . .!? So gut sich die Makarismen 2, 3 und 4 des Lk in diesem Sinne verstehen lassen, so dürfte dieses Verständnis doch bei Makarismus 1 schwierig zu sichern sein, weil hier ein Adjektiv und kein Partizip verwendet ist. Dann ist, da Makarismen und Wehe eine gemeinsame Hörerschaft voraussetzen, nur eine Interpretation möglich, die weniger zusprechenden als feststellenden Charakter hat:[69] Ihr Armen seid selig, denn Euch gehört die Gottesherrschaft − wehe Euch Reichen, denn Ihr habt Euren Trost dahin. Diese Konsequenz läßt sich nur vermeiden, wenn man bereit ist, auch den Wehe einen Zuspruchscharakter zu konzedieren.[70] Ist dieser Schluß aber plausibel, dann kommt das Verständnis der Makarismen und Wehe in der 2. Person in der vorlukanischen Überlieferungsphase dem Verständnis der Seligpreisungen in der 3. Person bei Mt sehr nahe: Denn wenn einer Haltung oder Befindlichkeit[71] das Glück, einer anderen aber „Fluch" zugeteilt wird, hat das unter der Voraussetzung, daß alle glücklich werden wollen, zur Folge, daß die Wehe abschreckend und die Seligpreisungen anziehend wirken und Nachahmung des in den Makarismen beschriebenen Verhaltens sowie Meidung der von den Wehe geschilderten Haltung die Folge sind. Man wird also *auf der vorlukanischen Ebene der Überlieferung von Weherufen und Seligpreisungen durchaus auch ein paränetisches Interesse in der 2. Person Plural* erkennen können.

1.2.5 Zur Frage der Ursprünglichkeit der 2. Person

Die Wahrscheinlichkeit, daß Mt und Lk die von ihnen wiedergegebene Form der Seligpreisungen im wesentlichen schon vorgefunden haben, verlegt die Frage der ursprünglichen Formulierung nur in ein früheres Stadium, hebt sie aber nicht auf.

---

69 Wie wenig der 2. Person im übrigen *automatisch* ein Zuspruchscharakter zukommt, vermag äHen 58,2 zu zeigen: 'Selig seid ihr Gerechten und Auserwählten, denn herrlich wird euer Los sein'.
70 Vgl. hierzu Krause, hôj 44: „Das über eine bestimmte Gruppe des eigenen Volkes ausgerufene hôj ist sein (sc. des Propheten) Kommentar zu dem angeprangerten Verhalten. Auch dort, wo Jahwä spricht (. . .), wird eigentümlicherweise nicht von seinem unheilvollen Eingreifen gegen die Angeprangerten gesprochen. Jahwä versetzt sich lediglich in die Rolle des Klagenden, der mit den Betroffenen in einer 'familiären' Beziehung steht, nicht des Unheilbringers. Die Angeprangerten selbst führen das Unheil gegen sich herauf". Ebenso Gerstenberger, Woe-Oracles 251.
71 Vgl. zu dieser Frage weiter unten.

Solange die Makarismen bei Mt und Lk auf eine gemeinsame Vorlage zurückgeführt werden, was angemessen erscheint, ist die Frage nach der ursprünglichen Formulierung zu stellen und zu beantworten. Eine Lösung aus formgeschichtlichen Erwägungen ist hier nicht möglich,[72] und zwar aus zwei Gründen:

1. Das Normale ist wie ausgeführt nicht immer das Ursprüngliche.
2. Es gibt nach Ausweis des Neuen Testaments in der Kirche des 1. Jahrhunderts eine ganze Reihe von originalen (Sprach-)Schöpfungen, die sich gerade nicht als Umbildungen primärer Bildungen verstehen lassen — von daher könnte man geradezu die Ursprünglichkeit der (weniger gewöhnlichen) 2. Person folgern[73], aber man darf eben über dem mancherlei Originalen nicht das mannigfache „Gewöhnliche" übersehen.

Scheidet so eine Lösung aus dieser Richtung aus, so ist die Frage, woher Kriterien für eine Entscheidung überhaupt gewonnen werden können, zu stellen. Ansatzpunkt für eine Lösung könnte das Nebeneinander von Makarismen und Wehe bei Lk sein, die sich ja, wie bereits mehrfach erwähnt, teilweise in der Deutlichkeit der Nennung der 2. Person erheblich voneinander unterscheiden. Dazu ist zunächst die Frage der Priorität zu erörtern.

1.2.5.1 Das Verhältnis zwischen Makarismen und Wehe

Wenn die Wehe vorlukanisch sind und grundsätzlich die Möglichkeit besteht, daß diese in der zu Mt hinführenden Q-Tradition weggefallen sind, so muß gefragt werden, in welchem Verhältnis Wehe und Makarismen zueinander stehen. Da eine voneinander unabhängige Entstehung und spätere Zusammenfügung von Makarismen und Wehe des Lk-Evangeliums angesichts der engen Beziehung zwischen beiden Gruppen ausfällt, gibt es nur drei Möglichkeiten. Die erste davon, Makarismen und Wehe als einheitliche und gleichzeitig entstandene Größe zu betrachten, scheidet angesichts der unterschiedlichen Einführung der 2. Person im jeweils ersten Glied aus. Dann dürften entweder die Makarismen in Anlehnung an die Wehe oder die Wehe in Anlehnung an die Makarismen gebildet worden sein, wobei die letzte-

---

72 Anders außer der bereits zitierten Literatur auch Merklein, Gottesherrschaft als Handlungsprinzip 49 A. 13 im Anschluß an Literatur.
73 Vgl. nur Grundmann, Weisheit 189: „Diese Seligpreisungen sind ein überraschender und außergewöhnlicher Vorgang, der eine besondere Vollmacht verrät. Wer würde derartige Leute selig preisen? Das Außergewöhnliche verrät sich auch in der Form der Seligpreisungen Jesu. Sie haben ursprünglich nicht die übliche Form der Feststellung, sondern die sehr seltene Anrede . . ." Ähnlich, aber doch wohl zu pauschal, Frankemölle, Makarismen 63: „Der geschichtlichen Lage Jesu entspricht eher die Lk-Form . . ."; als wenn wir die geschichtliche Lage Jesu so genau kennen würden und als ob Jesus als „origineller" Prediger nicht je nach Situation einmal so und einmal so sprechen konnte.

re Möglichkeit die größere Wahrscheinlichkeit für sich hat, weil die Formulierung: 'Selig die Armen, denn Euch gehört das Reich Gottes' sehr wohl die Formulierung 'Wehe Euch Reichen, denn Ihr habt keinen Trost mehr zu erwarten' zu erklären vermag, was für den umgekehrten Vorgang kaum möglich erscheint. Von daher hat die allgemein vertretene These, daß die Wehe den Makarismen sekundär hinzugefügt worden sind, durchaus die größere Wahrscheinlichkeit für sich.

1.2.5.2 Die Traditionalität der 2. Person in den lukanischen Makarismen

Die weiterbestehende Frage lautet nun, ob der Verfasser der Wehe für die 2. Person auch bei den Makarismen verantwortlich ist, oder ob er diese schon vorfand. Auch bei der Beantwortung dieser Frage dürfte es besser sein, sich an sprachlichen Gegebenheiten und nicht an allgemeinen Überlegungen zu orientieren. Der Verfasser der Wehe stellt zumindest bei den ersten beiden (bzw. beim 1.) Wehe deutlich den Anredecharakter heraus, wenn er auch nach Ausweis des 3. (bzw. des 2. und 3.) Wehe die Formulierung, wie sie bei den Makarismen zu lesen ist, im Prinzip für ausreichend deutlich hält. Wäre dieser Verfasser auch für die 2. Person bei den Makarismen verantwortlich, dann hätte er hier wohl in Analogie zu den Wehe gehandelt und auch bei den ersten beiden (bzw. zumindest beim 1.) Makarismen deutlich den Anredecharakter betont. Da das nicht der Fall ist, dürfte er die Makarismen bereits in der 2. Person vorgefunden haben. Dieser Befund würde dann auch gut die 2. Person bei den Wehe erklären, da ein (von der Gattung der Weherufe ausgehender) *Zwang* zur 2. Person nicht besteht.

1.2.5.3 Beobachtungen zur auffälligen Sprachgestalt der lukanischen Makarismen

Wenn die Beurteilung der Sprachgestalt der lukanischen Makarismen durch Dupont, dem sich viele Autoren angeschlossen haben, als äußerst auffallend und ungewöhnlich zutrifft, läßt dies den vorsichtigen Rückschluß zu, daß die 2. Person eine nachträgliche Angleichung an die letzte, deutlich in den Kontext der Makarismen sekundär eingefügte, ursprünglich in der 2. Person abgefaßte Seligpreisung ist, so daß sich für die Frage der Ursprünglichkeit ergäbe: Die größere Wahrscheinlichkeit spricht für eine Grundgestalt der Makarismen in der 3. Person.

Aber diese in sich plausible Annahme ist hinsichtlich ihrer Voraussetzung doch noch einmal zu überprüfen. Es stellt sich die Frage: Ist die Sprachgestalt der lukanischen Makarismen mit dem für unser Sprachgefühl so auffällig fehlenden 'ihr' am Anfang wirklich so ungewöhnlich und – wie läßt sich diese Ungewöhnlichkeit als Auffälligkeit auch für damaliges Sprachgefühl sichern? Was mich diese Ansicht hinterfragen läßt, ist die Tatsache, daß es schon bei flüchtiger Durchsicht der Zitate von Lk 6,20 bei den griechischen Vätern eine ganze Reihe von Äußerungen gibt, die die genannte Auffälligkeit beim Zitieren der lukanischen Seligpreisungen nicht beseitigen[73a]. Nun kann man sich natürlich mit der Annahme helfen, daß

73a Vgl. etwa Origenes, Homiliae in Ieremiam 8,4: SC 232 (1976) 364.366: ' "Μακάριοι" γὰρ "οἱ πτωχοί, ὅτι ὑμετέρα ἐστὶν ἡ βασιλεία τοῦ θεοῦ" ' ('Selig' nämlich 'die Armen, denn eurer ist das Reich Gottes.'); ebd. 20,6: SC 238

hier der Text des Neuen Testaments bereits als sakrosankt und unveränderlich angesehen wurde, deswegen eine Veränderung nicht in Frage gekommen sei und sich deshalb aus diesem Befund nichts ergebe. Jedoch ist diesem Einwand entgegenzuhalten, daß zumindest in der frühen Väterzeit ein solches Verständnis des neutestamentlichen Textes sich nicht verifizieren läßt[73b]. Auffällig ist ja für uns Heutige schon der Umstand, daß nicht einmal das Vaterunser in den drei ältesten Belegen, die wir haben, in identischer Form überliefert wird. Sowohl Mt als auch Lk

---

(1977) 278: ' "οὐαὶ οἱ γελῶντες νῦν, ὅτι πενθήσετε καὶ κλαύσετε".' ('Wehe, die jetzt lachen, denn ihr werdet trauern und weinen'.).
Vgl. freilich auch in 20,6: ebd. 276: ' "μακάριοι οἱ κλαίοντες νῦν", ἡ δὲ ἐπαγγελία "ὅτι γελάσονται".' ('Selig, die jetzt weinen', die Verheißung aber lautet, 'sie werden lachen'.).
Vgl. Origenes, Commentarii in Ioannem 20,23: GCS 10 (1903) 331: '"Μακάριοι οἱ κλαίοντες νῦν, ὅτι γελάσονται". καὶ τὸ "Οὐαὶ οἱ γελῶντες νῦν, ὅτι πενθήσετε καὶ κλαύσετε".' ('Selig, die jetzt weinen, denn *sie* werden lachen': und das 'Wehe, die letzt lachen, denn *ihr* werdet trauern und weinen'.). Vgl. Origenes, Fragmenta e catenis in Lamentationes 322: PG 13, 608: 'Εἰ τοίνυν μακάριοι οἱ κλαίοντες, ὅτι γελάσετε'. ('Wenn also selig sind die weinen, werdet ihr lachen'.).
Vgl. allerdings auch die Gegenbeispiele: Origenes, Fragmenta e catenis in Lamentationes Nr. VI. Klagel. Jerem. 1 Überschr.: GCS 6 (1901) 237; Nr. X Klagel. Jerem. 1,2: ebd. 239.
Vgl. aber auch Origenes, Commentarii in Matthaeum 8,9: GCS 38 (1933) 15: 'beati pauperes, quia vestrum est regnum caelorum.'
Vgl. darüber hinaus Thomas-Evangelium log. 54, wo der Personenwechsel bzw. die schwierige griechische Sprachgestalt ebenfalls erhalten ist.
Über diesen Beispielen für die Beibehaltung der Schwierigkeit dürfen freilich die mannigfachen Beispiele für „Verbesserung" der Sprachgestalt nicht übersehen werden — vgl. außer dem schon angeführten Origenes-Zitat noch Tertullian, Adv. Marcionem IV 14,9: CChL I 575: 'Beati esurientes, quoniam saturabuntur.' Vgl. a. ebd. IV 14,13: CChL I 576; IV 14,10: CChL I 575: 'Beati plorantes, quia ridebunt.'; vgl. a. Anonyma Interpretatio animae, Codex II 135 Lin 18f., in: Krause, M./Labib, P., Gnostische und hermetische Schriften aus Codex II und Codex VI (Abhandlungen des Deutschen Archäologischen Instituts Kairo, Koptische Reihe 2) Glückstadt 1971, 83 — aber auch Lin 16f.; Origenes, Homilia in Psalmos 4,1, in: Kramer, B., Eine Psalmenhomilie aus dem Tura-Fund: ZPE 16 (1975) 182.
Ich danke Herrn Kollegen W. Elliger, Tübingen, für seinen Rat zur Beurteilung der schwierigen lukanischen Sprachgestalt.
73b Vgl. das Ergebnis von Wengst, Schriften II 31 f., daß für den Autor der Didache „das Alte Testament und das Matthäusevangelium auf derselben Ebene stehen" einerseits und andererseits die Freiheit, mit der dieser mit Zitaten aus dem und Anspielungen auf das Matthäus-Evangelium umgeht. Vgl. auch ebd. 119ff., bes. 124-126 zum Barnabasbrief, wo Wengst bewußte Verschmelzung von AT-Zitaten (125) und „tendenziöse Änderung von der beabsichtigten Auslegung her" (124) konstatiert. Ähnlich 220 zu 2 Klem 2.

bzw. deren Gemeinden haben sich, wenn auch in unterschiedlicher Form, durchaus berechtigt gefühlt, in den Text einzugreifen, und auch der Autor der Didache zitiert zwar das Vaterunser nach Mt[73c], ändert den Text aber durchaus leicht ab und fügt ihm die bekannte triadische Formel an. Ist diese Freiheit bei *dem* Gebet Jesu für unser Verständnis schon fast ein Sakrileg, so verwundert es umso weniger, daß zahlreiche neutestamentliche Zitate, z.B. der Bergpredigt, von den Vätern des 2. Jahrhunderts so verändert zitiert werden, daß immer wieder die Frage entsteht, ob wir es hier mit einer Änderung des zugrundeliegenden neutestamentlichen Textes durch den Autor der betreffenden Äußerung oder aber mit einem durch Einwirkung mündlicher Tradition veränderten neutestamentlichen Text zu tun haben[73d].

Nun hat allerdings Frankemölle die Ansicht vertreten, die Reihen von Makarismen und Wehe, die in der frühjüdischen Literatur begegnen und häufig als Vorbilder für das lukanische Nebeneinander von Makarismen und Weherufen angesehen werden, seien meist nachchristlich, und er hat infolgedessen für eine genau umgekehrte Abhängigkeit plädiert, nämlich „die ntl. Antithesen des Lk (könnten) auch Anregung für die spätjüdischen, nachchristlichen Beispiele gewesen sein"[74], d.h. das Nebeneinander von Wehe und Makarismen bei Lk in einer längeren Reihe wäre etwas ganz Neues und der Ursprung dieser Verbindung damit neu aufzuklären.[75] Besteht mit diesem Autor Übereinstimmung über die Abfassung der Wehe zumindest in der vorlukanischen Tradition, so ist die Frage nach dem Ursprung der antithetisch einander gegenübergestellten Reihen von Makarismen und Wehe zu über-

---

Zu 1 Klem vgl. Hagner, Use, der 272 sein Ergebnis wie folgt zusammenfaßt: Der Verfasser kannte die neutestamentlichen Schriften weitgehend bis auf das johanneische Schrifttum. „In marked contrast with his use of the OT, Clement nowhere provides us with a verbatim citation from these writings. Instead, he prefers to parapharase or, more frequently, simply to allude to them . . ."

73c Vgl. Wengst, Schriften II 26f. gegen Köster.

73d Vgl. dazu neuestens die Auseinandersetzung von Wengst, Schriften II 34ff. mit Köster und die Arbeit von Hagner, Use 278ff., der zu 1 Klem feststellt: „Although it is frequently argued that Clement's citation of Jesus' words in 13,2 and 46,8 are dependent upon Matthew and Luke, we have suggested that they are more probably derived from oral tradition". (278) Vgl. auch 280 zur Didache: „It seems clear enough, however, that the Gospel of Matthew is used in the Didache, not only from the allusions of chapter one, but also the sayings recorded in 11,7 (Mt 12,31) and 13,1 (Mt 10,10), the verbatim saying of 9,5, introduced by εἴρηκεν ὁ κύριος (Mt 7,6), as well as the apocalyptic chapter (16) which is based on Matthew 24". Vgl. auch 280 A. 4. — Auch sonst konstatiert Hagner Kenntnis und Zitation des NT, aber sehr freien Umgang damit — vgl. auch noch 281f. zum Barnabasbrief und Hirt des Hermas.

74 Makarismen 62 A. 39.

75 Vgl. Frankemölle, Makarismen 62 A. 39: „Damit dürfte die Frage nach der Herkunft der Verbindung von Makarismus- und Weheruf- Reihe . . . wieder offen sein; der urchristlichen Tradition (Verfasser oder Sammler von Q?) scheint eine wichtige Rolle zuzufallen".

prüfen. Denn wenn auch durchaus im Laufe der anonymen Tradition mit mancher Neuschöpfung gerechnet werden darf, es aber zugleich wenig plausibel ist, die gesamte oder auch nur die bei weitem überwiegende Kreativität in die anonymen, die Traditionen der christlichen Kirche des 1. Jahrhunderts tragenden Kräfte zu verlagern und für eine Kreativität des historischen Jesus nur wenig oder gar keinen Raum zu lassen, so würde die Tatsache, daß in Lk 6,20ff. erstmalig eine Makarismen- und eine Wehe-Reihe unmittelbar nebeneinander in der Literatur des dem Neuen Testament und den frühjüdischen Schriften gemeinsamen Zeitraumes begegnen, doch wesentlich intensiver nach den Bedingungen dieser erstmaligen Bildung fragen lassen.

Jedoch steht Frankemölle mit seiner Neu-Eröffnung der Frage, ob nicht die Verbindung einer Makarismen- und einer Weheruf-Reihe erst auf dem Boden der urchristlichen Tradition („Verfasser oder Sammler von Q?") entstanden ist, auf sehr schwankendem Boden. Zwar ist die Datierung von slHen ausgesprochen schwierig und unsicher, wie sich u.a. aus dem Bericht über „The SNTS Pseudepigrapha Seminars at Tübingen and Paris on the Books of Enoch" ergibt, aber andererseits kann man angesichts dieser Diskussion doch wohl den *späten Ursprung des slHen noch keineswegs als erwiesen ansehen.* Die beiden Pole, zwischen denen die Diskussion hin und her schwingt, werden an folgender Kritik von Andersen an Milik deutlich: "Milik claims that 'no trace' of 2 Enoch 'has been found in early Christian literature' (. . .). Origen, as other scholars have argued, may have known 2 Enoch"[76] — gerade die Kritik an Miliks Spätdatierung ist hier zu beachten.

Das Nebeneinander von Seligpreisungen und Weherufen ist über slHen hinaus noch in sBar 10,6f., deren Abfassungszeit doch wohl zwischen 100 und 130 n. Chr. anzusetzen ist, die aber wie die Evangelien auf ältere Materialien zurückgreift[77], belegt. Noch älter sind, wenn auch nicht, wie früher häufig angenommen, aus dem 2. oder 1. Jahrhundert *v.* Chr., sondern vielleicht erst aus dem 1.

---

76 Charlesworth, The SNTS Pseudepigrapha Seminars 318. Vgl. auch ders., Pseudepigrapha 104: „Specialists date the original, which was probably in Greek, in the decades prior to the destruction of the Temple in A. D. 70." Fischer, Eschatologie 37ff. repräsentiert noch ganz die alte, durch Vaillant angestoßene Forschungsrichtung, daß die längere Rezension A von slHen die spätere, durch Ausschmückung von Rezension B entstandene Fassung sei — Kritik daran ist gerade von Andersen vorgetragen worden, vgl. den zitierten Artikel über die SNTS-Pseudepigraphen-Seminare. Fischer lehnt Übereinstimmungen inhaltlicher Art zwischen den Seligpreisungen des Mt und denen in slHen 42 ab, lediglich der letzte Makarismus in 42,10 erinnere „etwas" an Mt 5,9. Fischer bejaht aber das Zitat des Origenes aus slHen, ebenso findet er Zitate in AscJs und evtl. auch in Test XII Patr. und datiert die Abfassung der griechischen Urfassung des slHen ins 1. Jh. n. Chr. in der ägyptischen Diaspora. — Vgl. zum ganzen auch noch Schweizer, Mt und seine Gemeinde 69-71.

77 Vgl. JShrZ V/2 113f. — warum Frankemölle hier auf die griechische BAR-Apokalypse zurückgreift, die freilich einige Jahrzehnte später anzusetzen ist als sBar (vgl. JShrZ V/1 19f.) ist mir nicht deutlich geworden.

Jahrhundert *n. Chr.* stammend, äHen 92-105,[78] so daß in äHen 99,10ff., wo auf eine Seligpreisung mehrere Weherufe folgen, zumindest parallel zur Bildung des Lk-Evangeliums das Nebeneinander von Seligpreisung und Wehe belegt ist. Immerhin erwähnenswert in diesem Zusammenhang ist dann auch, daß in dem schon erwähnten Bericht über die SNTS-Pseudepigraphen-Seminare einer Beeinflussung des Lk-Evangeliums durch äHen 92-105 nicht allgemein widersprochen wurde.

Frankemölle steht im übrigen mit seiner These nahe bei Dupont, der bei der Musterung der hier in der Regel angeführten „Parallelen" ein vorlukanisches stereotypes Nebeneinander von Makarismus und Wehe nicht entdecken kann.[79] Allerdings hat Kieffer dem ausdrücklich widersprochen: „Es ist schwer einzusehen, wie Dupont seine Behauptung rechtfertigen kann, daß die antithetische Darstellungsweise Seligpreisung – Weheruf zur Zeit Jesu nicht hätte gängig sein sollen. Damit ist nicht bewiesen, daß Jesus selbst diese Antithese in der Bergpredigt benutzt hat. Was wir hingegen aufweisen wollen, ist die Tatsache, daß es nicht ungewöhnlich war, zu einer Seligpreisung auch einen Weheruf hinzuzufügen."[80] Freilich leidet sein Widerspruch an einem doppelten Mangel, zum einen daran, daß er die heute weitgehend abgelehnte These[81] von Mowinckel wieder aufgreift, daß Seligpreisungen und Weherufe nur eine abgeschwächte Form von Segen und Fluch und daß beide nicht so unabhängig voneinander seien, wie meist angenommen wird,[82] zum anderen daran, daß er sich für seine These – wie nicht anders möglich – auf die gleichen Texte wie Dupont stützt, ohne sie durch einen ebenso detaillierten Nachweis zeitlich anders einzuordnen.

Fazit

Unsere bisherige Analyse der Seligpreisungen und Wehe in der Bergpredigt des Mt und der Feldrede des Lk läßt es als die wahrscheinlichste Lösung erscheinen, daß die meisten Differenzen zwischen Bergpredigt und Feldrede nicht erst von den beiden Evangelisten geschaffen, sondern schon in der Tradition vor ihnen entstanden sind. Lk dürfte – soweit bislang erkennbar – eine wesentlich weiterentwikkelte Tradition als Mt vorgefunden haben, die schon Makarismen und Wehe, und zwar beide in 2. Person, aufwies, während die Tradition des Mt die Wehe nicht enthielt und die Makarismen in der 3. Person anführte.

---

78 Vgl. dazu Charlesworth, The SNTS Pseudepigrapha Seminars 320ff., neuestens JShrZ V/6, 708f.: „inzwischen steht etwa die Mitte des 1. Jh.s. v. Chr. als Terminus ante quem für die ältere der beiden aram. Kopien fest." (709) Sollte sich diese Meinung allgemein durchsetzen, hätten wir den ältesten Beleg für das Nebeneinander von Makarismen und Wehe vor uns und Q^{Lk} käme nicht als Initiator solchen Nebeneinanders in Frage!

79 I 334f.

80 Weisheit und Segen 40f.

81 Vgl. z.B. THAT I 259f.; Kähler, Diss. passim.

82 Weisheit und Segen 39.41.43; Mowinckel folgt auch Brun, Segen und Fluch 16f.

2. KAPITEL

Formgeschichtliches zu den Seligpreisungen

2.1 Die Form der Makarismen im Alten und Neuen Testament

Sowohl für die matthäischen als auch für die lukanischen Makarismen in der Bergpredigt ist charakteristisch, daß auf die Selig-Formel ein Nomen folgt und daß die Zuweisung der Selig-Formel an die im Nomen Bezeichneten durch einen Kausalsatz begründet wird, wobei diese Begründung sowohl futurisch als auch präsentisch gegeben werden kann. Lediglich der letzte Makarismus macht insofern eine Ausnahme, als das hier angesprochene Gegenüber konditional näher bestimmt ist, die Selig-Formel quasi wiederholt wird ('Freut euch (an jenem Tage) und jubelt (hüpft)') und dann erst die Begründung für die Zuweisung des Makarismus gegeben wird. Jedoch finden sich im Mt- und Lk-Evangelium — das Mk-Evangelium bietet keine Makarismen — auch andere „Arten" von Makarismen, die zeigen, daß der Makarismus in neutestamentlicher Zeit keineswegs so fest geformt war, wie es die Stereotypie der matthäischen/lukanischen Seligpreisungen der Berg-/Feldpredigt erwarten läßt; so wird an einigen Stellen der Glücklichgepriesene durch einen Relativsatz näher bezeichnet (Mt 11,6 par Lk 7,23; Lk 11,27f.; 23,29; vgl. auch Lk 14,15), ohne daß der Makarismus näher begründet wird. Wo er aber begründet wird, da reichen diese Begründungen nicht immer hin, so daß eine weitere Begründung, die auf die erste Bezug nimmt, nachgeschoben werden muß (Mt 13,16f. par Lk 10,23f.). Verwandt damit sind Belege, wo das Nomen zwar durch einen Relativsatz erweitert wird, die Begründung des Makarismus aber asyndetisch erfolgt (Mt 24,46f. par Lk 12,43; Lk 12,37; vgl. auch noch Lk 14,14). Diese Vielfalt findet sich nun auch im Alten Testament, für das sie häufig beschrieben worden ist.[1] Dabei wird die unbegründete und insofern einfachere Form als älter vorausgesetzt, die Begründung also als eine Weiterentwicklung betrachtet.[2] Diese Begründung ist im Alten Testament häufig recht lang (vgl. z.B. Ps 1,3; 41,2bf.; 89, 16bf.; 94,13; 112,2f.; 128,2f.; Spr 3,13f.), da sie aber auch kurz sein kann (vgl. z.B. Ps 127,5b; Spr 28,14; Sir 31,9; 48,11), dürfte die kurze Begründung kaum, wie von Schweizer behauptet, als Unterscheidungsmerkmal zwischen den Makarismen der Bergpredigt und denen des AT gelten.[3] Darüber hinaus dürfte der Grund für die Kürze im Neuen Testament mit einem Zurückgehen des (in der Regel synonymen) Parallelismus membrorum im Neuen Testament zusammenhängen, denn die oben als recht lang bezeichneten Begründungen der Seligpreisungen im Al-

---

1   Vgl. Janzen, 'Ašrê 217; Kähler, Diss. 13ff.; Schweizer, Mt und seine Gemeinde 69ff.; George, „Forme" 401ff.; Käser, Beobachtungen 230ff.; Keller, „Béatitudes" 90ff.; Guelich, Beatitudes 417; Lipinski, Macarismes.
2   Kähler, Diss. 14f. 43.55; Käser, Beobachtungen 231ff.
3   Vgl. Schweizer, Mt und seine Gemeinde 75.

ten Testament sind alle im Parallelismus membrorum gehalten. Tendenziell eher zutreffen dürfte die andere Beobachtung Schweizers, daß der Heilruf bei den außerneutestamentlichen (und auch bei vielen neutestamentlichen) Belegen „fast durchwegs mit einem Relativ- oder Partizipialsatz verbunden (ist), der den Gepriesenen näher bestimmt"[4], wogegen die Makarismen der Bergpredigt in äußerster Kürze die Seliggepriesenen nur mit einem Adjektiv oder Partizip bezeichnen[5], „dem jede nähere Präzisierung fehlt"[6]. Auch hier gilt wieder, daß die langen Attributsätze im Alten Testament sehr häufig durch die Stilfigur des Parallelismus membrorum veranlaßt sind (vgl. nur Ps 1,1f.; 106,3; 112,1; 119,1.2; 137,9) und daß sich auch kurze Attributsätze im Alten Testament finden (vgl. Ps 2,12; 34,9; 41,2; 84,13; 89,16; 127,5; 144,15), gleichwohl wird man den Makarismen der Bergpredigt einen noch kürzeren Attributsatz attestieren müssen, ist dieser doch bei den meisten Belegen auf ein einziges Adjektiv bzw. Partizip verkürzt. Insofern stellen die Makarismen der Bergpredigt eine besonders knappe und prägnante Form der Seligpreisung dar.

2.2 Der Sitz im Leben der alttestamentlichen Makarismen

Der Sitz im Leben der alttestamentlichen Makarismen wird unterschiedlich beurteilt. Neben der Ableitung aus dem Kult[7] als liturgischer Zuruf[8] oder als abgeschwächter Segen[9] wird der Makarismus auch als Glückwunsch verstanden[10]. Im Unterschied zu verschiedenen Mischthesen, die den prädikativen und den paränetischen Charakter zu verbinden suchen[11], hat Kähler in seiner Dissertation den

---

4   Mt und seine Gemeinde 74.
5   Was freilich für einige matthäische Makarismen nur noch bedingt gilt.
6   Mt und seine Gemeinde 74.
7   So Lipinski, Macarismes.
8   Vgl. ThWAT I 482.
9   Vgl. ThWAT I 484: „Der göttliche Segen fordert Taten der Treue gegen Gott und sein Gesetz, um den Gläubigen Glückseligkeit zu geben; das eben ist der Sinn von 'ašrê".
10 Vgl. Schmidt, Grüße; Kraus, Ps I 134.
11 Vgl. THAT I 259: „Eher ist sie (sc. die Glücklichpreisung) als ein prädikativer Heilsspruch zu verstehen (. . .), der einen Menschen (oder eine Personengruppe) auf Grund seines beglückenden Heilszustandes lobend hervorhebt und als exemplarisch — insofern ermahnend — hinstellt, und der vor allem im weisheitlichen, dann aber auch im engeren religiösen Interesse ergangen sein dürfte".
    Vgl. auch Kraus, Ps I 134: „Früher rief das mahnende Wort der Weisheitslehrer erst zum Gehorsam auf, jetzt wird das Ereignis des wahrhaft glücklichen Lebens im Machtbereich der Tora Gegenstand der preisenden, gratulierenden Feststellung".
    Vgl. ThWAT I 482: „Der Glückwunsch unterscheidet sich insofern vom Segen, daß er gewisse Taten von seiten des Gläubigen fordert".

weisheitlich-paränetischen Charakter der Seligpreisungen herausgestellt.[12] *Das in den Makarismen ausgesprochene Glück werde den Menschen unter einer Kondition zuteil.* Diese Feststellung gelte selbst für die Makarismen mit objektiver Konditionierung („in denen die Tat oder Haltung eines Machthabers (zumeist Jahwe) das Glück bedingt"[13]), so daß folgendes festzuhalten sei:[14]

1. Diese Makarismen sind „als Sonderform der weisheitlichen Aussagesätze im Tat-Folge-Schema bzw. im Haltung-Ergehen-Zusammenhang anzusprechen."

2. Die Makarismen sind allgemeingültige Aussagen ohne konkrete Adressaten (einzige Ausnahme: Dtn 33,29, eine Stelle, die ohnehin durch weitere Besonderheiten auffalle).

3a. „In der überwiegenden Zahl der Fälle stellt der Makarismus die Folge des angemessenen Verhaltens mit 'ašrê dar und schärft dieses somit ein."

3b. „Der Makarismus nennt zuweilen den — meist göttlichen — Urheber des Glücks und stellt dessen indirektes Lob dar".

4. „Somit läßt sich als einheitlicher 'Sitz im Leben' der Makarismen die weisheitliche Mahnung/Lehre begreifen. Als Sprecher ist der hākām genannt (Ijob 5,17) bzw. vorauszusetzen."

Das Ergebnis Kählers unterscheidet sich insofern von früheren Ansätzen[15], als hier für fast alle Makarismen ein paränetischer Sinn erhoben[16] und allen Makarismen

---

12 Vgl. schon Fohrer, Hiob 152: Die Stilform des Makarismus „hat keinen kultischen Ursprung, sondern ist in der Weisheit beheimatet . . . Aus der Weisheit . . . ist sie in das Sprachgut der Ps (26-mal) und gelegentlich in das der Prophetie (viermal) übergegangen".
Vgl. aber auch ebd.: „Der Heilsspruch, der *eine Aussage, einen Wunsch* oder *eine Ermahnung* enthalten kann . . ." (Sperrung I.B.).

13 Diss. 69. — Vgl. hierzu die neuesten von Berger vorgetragene Kritik sowohl daran, „daß es in der Mehrzahl der Makarismen um nichts mehr geht als ein angemessenes menschliches Verhalten und dessen Folgen" als auch an Kählers Unterscheidung von subjektiver und objektiver Kondition. (Berger, Formgeschichte 188f., der aber gleichwohl die Makarismen „sehr häufig" einer symbuleutischen Gattung angehören läßt).

14 Diss. 69f.

15 Vgl. etwa Kraus, Ps zu Ps 1,1.

16 Die Motive 3a (mit seinem paränetischen Charakter) und b liegen zum Teil fest verbunden in einem Makarismus vor. Ganz ähnlich, schon direkt auf die Makarismen der Bergpredigt bezogen, äußert sich Egger, W., Faktoren der Textkonstitution in der Bergpredigt: Laur 19 (1978) 177-198, 193: „Durch diese Merkmale werden die Adressaten durchgehend in ethischer Hinsicht charakterisiert: sie werden nicht als Träger der Verheißung, sondern als zu einem bestimmten Verhalten Verpflichtete vorgestellt. Dies erklärt auch vielleicht, warum die Seligpreisungen in der dritten Person formuliert sind: ein direkter Zuspruch des Heiles paßt nach Mt weniger zu dem fordernden Charakter der Weisungen Jesu. Die Seligpreisungen nach Mt schlie-

ein einheitlicher Sitz im Leben zugewiesen wird. Wenn diese Feststellung zutrifft, wäre das auch für die Erhellung der Makarismen der Bergpredigt wichtig, da sie nicht nur deren originäres Verständnis erhellen, sondern auch Licht auf den Komplex „Jesus und die Weisheit" werfen würde, sofern sich Anhaltspunkte dafür ergeben, daß die Seligpreisungen der Bergpredigt dem gleichen Sitz im Leben zuzuweisen sind, wie ihn – nach Kähler – *alle* alttestamentlichen Makarismen aufweisen.

2.2.1 Zum Verhältnis von Aussagewort und Mahnwort in der alttestamentlichen Weisheit

Mit seiner Bewertung des Makarismus als weisheitliche *Mahnung* steht Kähler im Einklang mit Zimmerli, der in seinem Aufsatz von 1933 eine Tendenz in der Weisheit vom Aussagewort hin zum Mahnwort festgehalten[17] und den weisheitlichen Makarismus als „Mittelglied zwischen Aussagewort und Mahnwort" beurteilt hat; auch Zimmerli sieht die Seligpreisung als paränetische Mahnung, die „eine einfache Aussage (Glücklich ist, selig sind . . .) in der Betonung des preisenden Lobrufs macht und dadurch den Charakter des Aufrufs auch ohne direkte Anrede erreicht. – Ihrer geistigen Haltung nach gehört sie eng mit der Weisheit zusammen."[18] Aussagewort, Makarismus und Mahnspruch rücken so dicht zusammen; zwar ersetzt die direkte Mahnung zunehmend das in den alten Sammlungen fast ausschließlich verwendete Aussagewort[19], damit geschieht aber nichts im Grunde Neues oder dem Aussagewort Unangemessenes, sondern die Entwicklung vom Aussagewort

---

ßen zwar die Verheißung des Eschatons in sich, doch geschieht diese Verheißung nicht direkt an die Anwesenden, sondern wird als eine Möglichkeit hingestellt, die unter den bestimmten angegebenen Bedingungen eintritt. Auch die Bergpredigt ist nicht als direkte Verheißung an die Anwesenden formuliert, sondern als eine Möglichkeit für den, der hört und tut". – Interessant ist, daß Egger gleichwohl an anderer Stelle die Geschlossenheit des Hörerkreises im Gegenüber zu den Nicht-Hörern in der Intention des Mt betonen kann: „Die Übergänge zwischen Personen/Numerus sind über den ganzen Text verstreut und weisen eine überraschende Regelmäßigkeit des Wechsels auf. Deutlich tritt hervor, daß eine Gruppe als solche (2. Person Plural) angesprochen ist. Dies paßt zum Bestreben des Mt, die Gruppe der Hörer abzugrenzen von anderen Gruppen (Pharisäer, Heuchler, Heiden usw.)".

17 Zimmerli, Struktur 184 f.; vorsichtig zurückgenommen in ders., Ort und Grenze 305.

18 Zimmerli, Struktur 185 A. 1. – Vgl. auch die Fortsetzung dieses Zitats über die Seligpreisungen: „(Es ist ein bezeichnender Zufall, daß 'ašrê in den erzählenden Schriften – Dtn 33,29 gehört mit den Ps zusammen – nur in der Erzählung von der Königin von Saba vorkommt . . .). Sie formuliert das große Anliegen der Weisheit (Wer ist glücklich?. .), das in Prov meist nüchtern räsonierend behandelt ist, in hymnisch gesteigerter Form".

19 Vgl. Zimmerli, Struktur 185.

zum Mahnwort mit dem Makarismus als „Mittelglied" läßt sich beschreiben „als ein Explizitmachen der schon im Aussagewort verborgen liegenden Anmutung, die im Aussagewort gegebene Erfahrungstatsache beim Handeln zu berücksichtigen."[20] Auch Westermann betont, daß die Aussageform einer ganzen Reihe von Sprüchen „einen ausgesprochen auffordernden oder auch mahnenden Charakter" aufweist,[21] betont jedoch zugleich einen wichtigen Unterschied zum Mahnwort: „Der Aussagespruch sagt, wie es ist. Zu wissen, daß es so ist, ist Weisheit. Dieses Wissen aber ermöglicht das richtige Verhalten, ermöglicht das Sich-Zurechtfinden. Wenn man weiß, wie es ist, dann weiß man, was man zu tun hat. . . . die Weisheit hat es allein damit zu tun, zu erkennen und zu sagen, wie es ist. Der Impuls zum Handeln ist dann gerade nicht die Ermahnung des Mahnenden (. . .), sondern die eigene Erkenntnis. Die Würde der Weisheit liegt darin, daß sie *nicht* mahnt, *nicht* anstößt, *nicht* auffordert; sie erwartet das Handeln vielmehr als Folge des Erkennens."[22] In diesem Zitat kommt deutlich zum Ausdruck, daß der Aufforderungscharakter, der in den Aussageworten durchaus enthalten ist, eine sekundäre Natur hat.[23] Erste und unmittelbare Intention des Aussagewortes ist das Feststellen und Festhalten von Zusammenhängen, aus denen sich dann in einem zweiten Schritt auch Konsequenzen für das eigene Tun und Verhalten ergeben.

Bevor nun die sich daraus ggf. ergebenden Konsequenzen für das Verständnis der Gattung des Makarismus gezogen werden, ist zu fragen, ob die Feststellung Kählers von der weisheitlichen Mahnung als einheitlichem Sitz im Leben der Makarismen zutrifft.

2.2.2 Die weisheitliche Mahnung als einheitlicher Sitz im Leben der alttestamentlichen Makarismen?

Man wird Kähler m.E. für Ijob 5,17 — eine Stelle, die für Kähler „der entscheidende Beleg für die nichtkultisch-paränetische Verwendung der Makarismen in Weisheitsgedichten"[24] ist — zustimmen müssen. Für das paränetische Verständnis dieser Stelle spricht ja nicht nur Ijob 5,27, sondern auch der doch wohl im synonymen Parallelismus membrorum stehende Vers 17b. Ob aber die These von der durchgehend weisheitlichen Prägung der Makarismen im Alten Testament zutrifft, ist doch weniger an zur sogenannten Weisheit — wie auch immer man diesen Begriff versteht — gehörenden Texten zu erheben als an Texten, die gerade nicht dazu gehören. Hier kann der Hinweis auf wenige Stellen genügen.

Jes 32,20 scheint mir dieser These zum einen schon deswegen Schwierigkeiten zu bereiten, weil hier das Verständnis als indirekte Mahnung kaum sinnvoll ist.

---

20 Vgl. Zimmerli, Struktur 186.
21 Weisheit im Sprichwort 152.
22 Weisheit im Sprichwort 152.
23 Vgl. auch ebd., wo Westermann davon spricht, daß der Hörer des Aussagewortes in einem eigenen Urteil zu dessen Inhalt Stellung beziehen muß.
24 Diss. 67.

Deswegen formuliert Kähler auch vorsichtig, ein Blick auf Jes 32,16f. zeige, „daß das angekündigte Heil . . . nicht aus dem Haltungs-Schicksal-Zusammenhang entnommen ist", da dort „offenbar" vom Menschen zu realisierende Haltungen als Voraussetzungen für den endzeitlichen Frieden genannt seien.[25] Das wird in gewisser Weise sogar zutreffen, jedoch nicht ganz, da Jes 32,15 zwar schwierig zu interpretieren ist[26], aber doch mit V. 16 zusammen gesehen werden muß[27], so daß Geschenk und Leistung hier zusammengedacht, also weder isoliert noch als Gegensatz gedacht sind: „Es ist 'der Geist aus der Höhe', der die neue Zeit heraufführt und — so darf man wohl nach Ezechiel deuten — die Menschen so umwandelt, daß Recht und Gerechtigkeit nicht nur Programm und Ideologie bleiben, sondern volle Wirklichkeit werden". Aber es gilt eben auch: Recht und Gerechtigkeit (V. 16) „sind Geschenk des Geistes . . . Aber sie sind ein Geschenk, das menschliche Leistung voraussetzt, man könnte sagen: Sie sind Geschenk und Leistung in einem".[28] Ist so der paränetische Charakter von Jes 32,15-20 nicht primär, vielmehr mit dem Geschenkcharakter zusammengespannt, so ist darüber hinaus zu beachten, daß der isolierte Charakter von V. 20 (vgl. 'Wohl *euch*!', wobei die Anrede im Zusammenhang natürlich auf 'mein Volk' V. 18 zu beziehen ist) auf eine sowohl von V. 19 als auch von VV. 15-18 unabhängige Tradition verweist.[29] Ist so schon von Jes 32,20 her Kählers These fraglich, so erst recht bei Jes 30,18. Der einheitliche und sekundär eingefügte Abschnitt Jes 30,18-26 lebt doch gerade von dem Gegensatz zwischen einst, wo Jahwe nicht seine Gnade und sein Erbarmen gezeigt hat, und der Zukunft, wo Jahwe diese zeigen wird. „Was das bedeutet, ist in 20b.21 gesagt: Israel wird unter unmittelbarer Leitung durch seinen Lehrer Jahwe stehen. Es wird nicht mehr irregehen und sich nicht mehr verfehlen, also auch nicht mehr Schuld und Strafe zu tragen haben. Eine selbstverständliche Konsequenz ist die Beseitigung der Götterbilder . . ."[30] „Die Erlösung Israels beruht nicht auf seinen Verdiensten, sondern auf Jahwes Erbarmen."[31]

Ist so der paränetische Charakter *aller* Makarismen fraglich, so auch die einlinige Zuweisung an den Sitz im Leben der weisheitlichen Mahnung, so offensichtlich viele Makarismen auch paränetischen Charakter mittragen.

25 Diss. 55f.
26 Vgl. die Diskussion bei Wildberger, Jes z.St. im Sinne welches Propheten das Motiv von der Ausgießung des Geistes hier zu verstehen ist.
27 Vgl. Wildberger, Jes 1278.
28 Wildberger, Jes 1279.
29 Wenn Kähler, Diss. 56 für seine Interpretation auf die in V. 16f. angesprochenen „doch offenbar vom Menschen zu realisierenden Voraussetzungen miš$p\bar{a}t$ und s^{e}dāqa für den endzeitlichen Frieden" auf Duhm hinweist, so besteht zwischen den nach Duhm von dem König und seinen Beamten zu leistenden Recht und Gerechtigkeit und dem 'Heil Euch' doch ein Hiatus, oder will Kähler das 'Euch' auf Könige und deren Beamte beschränken?
30 Wildberger, Jes 1206; anders Kähler, Diss. 55: „Gegen das echte Droh- und Scheltwort 30,15-17 setzt unser Abschnitt voraus, daß die Kehre zu Jahwe im Grunde bereits vollzogen wurde, *wenn sie auch noch zu manifestieren ist.* (V. 22)" (Sperrung I.B.).
31 Wildberger, Jes 1206.

2.3 Die begründete Seligpreisung als sekundär erweiterte Form

Eine weitere Überlegung ist hier noch anzustellen: Wir haben zu Anfang dieses zweiten Kapitels darauf hingewiesen, daß vielfach die begründete Fassung der Makarismen als schon entwickelte Form angesehen wird, der eine ältere Form bereits vorausliegt: „Grundform aller Makarismen ist grammatikalisch die auf einen Stichos oder Halbvers geraffte einfache Nominalaussage."[32] Käser nennt als Beispiele Ps 2,12c; 34,9b; 41,2a; 84,13b; Ijob 5,17; Dan 12,12, betont aber gleichzeitig: „Auf einen einzigen Stichos geraffte Makarismen sind in reiner Form ganz vereinzelt."[33] Anderer Ansicht ist hier Kähler: „Der zweigliedrige alttestamentliche Makarismus stellt eine in sich geschlossene Form dar, die in den *meisten* Fällen nicht ergänzt wird. Einige *Ausnahmen* weisen aber schon im AT asyndetisch angefügte Begründungen bzw. eine finale Weiterführung auf."[34] Und Kähler weiß die Erweiterung sogar historisch zu verorten: „In dem Moment der jüdischen Religionsgeschichte also, in dem die innerweltliche Geltung des Tat-Folge-Schemas nicht mehr unbezweifelt ist, tritt die kausale Explikation der in μακάριος beschlossenen Tatfolge als Ergänzung zum ursprünglich zweigliedrigen Makarismus hinzu."[35] Jedoch wird Käser gegen Kähler zuzustimmen sein, da letzterer zu der großen Zahl zweigliedriger Makarismen nur dadurch kommt, daß er zwischen Makarismen, in denen die Explikation des Heils syntaktisch zum Makarismus gehört, und solchen, wo diese syntaktische Verbindung nicht vorliegt, unterscheidet.[36] Die Frage ist jedoch, ob solche Unterscheidung sinnvoll ist, wenn der Kontext fast bei jedem Makarismus, wenn auch in syntaktisch verschiedenen Formen, eine Näherbeschreibung des mit 'selig/wohl' bezeichneten Zustandes gibt. Denn selbst die wenigen von Käser genannten Stellen sind als Beleg für eine Zweigliedrigkeit der Makarismen nicht unproblematisch. So ist in Ps 2 ab V.10 negativ geschildert, was denen droht, die die im Makarismus (V.12) genannte Haltung nicht einnehmen, hier ist das dritte Glied also durchaus, wenn auch anders als gewohnt, vorhanden. Deutlicher ist Ps 41,2b auf den Makarismus zu beziehen: 'Wohl dem, der sich des Schwachen annimmt; zur Zeit des Unheils wird der Herr ihn retten.' Man wird wohl zugestehen müssen, daß in Ps 34,9 und 84,13 eine solche zweigliedrige Form vorliegt, die also nur aus dem 'Wohl' und dem Attributsatz, der

---

32 Käser, Beobachtungen 231.
33 Käser, Beobachtungen 233. Ganz anderer Ansicht ist hier Bartina, Los macarismos 64, nach dessen Ansicht ein semitischer Makarismus ohne dieses Element „un macarismo esencialmente mutilado" wäre. – Ich danke Frau G. Schacherl dafür, daß sie mir diesen Text erschlossen hat.
34 Diss. 80.
35 Diss. 82.
36 Vgl. Kähler, Diss. Teil I A. 58. Das Nebeneinander von Begründung der Paränese durch einen Kausalsatz und durch einen asyndetisch angeschlossenen Satz findet sich auch sonst in der Weisheitsliteratur, vgl. die Belege, die Zeller, Mahnsprüche 21f. 37f. angibt: „Der Mahnsatz ist fast nie ohne eine Begründung . . ." (22).

den Gepriesenen näher bezeichnet, besteht. Jedoch dürften diese Fälle ähnlich gering an Zahl sein, wie Käser sie angibt.[37] In Frage kommen hier m.E. noch Ps 33,12[38]; 40,5[39]; 106,3[40]; 137,8.9; Spr 20,7; 29,18 (?); Koh 10,17 — es liegt hier häufig ein schwer zu objektivierender Tatbestand vor, da die Entscheidung jeweils davon abhängt, wieweit man den Begriff „Kontext" auslegt.[41] Jedoch dürften die Belege Ps 137,8.9 und Spr 20,7 ganz eindeutig zeigen, daß es solche zweigliedrigen Makarismen, die also neben der Formel „glücklich" nur noch die Kondition für die Zuweisung dieses Prädikats nennen und das mit „glücklich/wohl" gemeinte Heil gerade nicht näher beschreiben, im MT gibt. Zu fragen ist aber, ob die Qualifizierung der Näherbeschreibung des mit „glücklich" angesprochenen Heiles als „konkurrenzierende Konkretion"[42], als „Ausnahmen" und „Weiterführungen"[43] angesehen werden dürfen. Zwar ist die Entwicklung häufig durch eine Agglomeration gekennzeichnet, aber die Wege der Überlieferung sind doch wohl auch oft diffiziler verlaufen. Immerhin ist auch die Möglichkeit in Rechnung zu stellen, daß einer der mehrfach belegten, weithin inhaltsgleichen konditionalen Tat-Folge-Sätze gegenüber dem Makarismus literarisch primär ist, so daß nicht die Begründung, sondern der Makarismus selbst das sekundäre Element darstellt. Eine Parallele zu diesem Vorgang wäre im Neuen Testament bei Mt in 5,5 und 5,7 erkennbar, in deren alttestamentlicher Vorlage der Makarismus fehlt.

Können so wegen der weitgehenden Gleichheit des Inhalts die Makarismen zu Recht als „geprägte Sonderform der weisheitlichen Konditionalsätze im Tat-Folge-Schema" bezeichnet werden,[44] so ist zu fragen, welche Bedeutung dieser *Um-*

---

37 Das hat seine Parallelen bei den Mahnsätzen der Weisheit, speziell bei Jesus Sirach, vgl. Zeller, Mahnsprüche 38f.: „Relativ selten sind ganz unbegründete Mahnsätze. Zwar erstrecken sich die parallelen Mahnungen oft über mehrere Verse, um aber meistens in eine motivierende Aussage einzumünden". Vgl. auch Richter, Recht und Ethos 37ff. Ähnlich Murphy, Form Criticism 480; vgl. auch Hermisson, Studien 162, der allerdings zu den Aussageworten, denen die Makarismen unter formalem Gesichtspunkt ja näher stehen als den Mahnworten, feststellt, bei diesen werde „in aller Regel auf Begründungen verzichtet".

38 Zwar beschreibt V. 19 auch das Heil Gottes in der Perspektive des Psalmisten, aber während der Makarismus in V. 12 objektiv konditioniert ist, ist das in V. 18f. beschriebene Heil subjektiv konditioniert.

39 Hier könnte freilich 40,2-4 als Beschreibung des 'Heil' von V. 5 fungieren, dann wäre diese Stelle zu streichen.

40 Vgl. zur Aufteilung Kraus, Ps II z.St.

41 Ist z.B. Ps 34,9 mit V. 11 zusammenzusehen oder nicht? Darf hier Ijob 5,17 mit V. 19 zusammengesehen werden? — Immerhin wird in den Kommentaren (vgl. Kraus, Ps I) Ps 34,6-11 und Ijob 5,17-21 (vgl. Fohrer, Hiob) als Einheit angesehen.

42 So Kähler, Diss. 43.

43 Kähler, Diss. 80, vgl. auch 55.

44 So Kähler, Diss. 67, vgl. auch 57: „daß diese Makarismen als 'normale' Konditionalsätze im Tat-Folge-Schema verstanden wurden, die im Kontext ihrer Seligpreisungen in Spr 10-29 sehr häufig sind".

46

Schreibung der Aussageform in die Makarismusform (oder umgekehrt) zukommt. Bevor diese Frage gestellt wird, sei zunächst die Tatsache der Parallelbildung von Konditionalsätzen und Makarismen aufgezeigt.[45]

2.4 Parallelbildungen von Konditionalsätzen und Seligpreisungen

1. a: Makarismus   Ps 2,12 Glücklich alle, die ihm trauen
                         34,9 Glücklich der Mann, der zu ihm sich flüchtet

   b: Konditionalsätze
                    Ps 34,23 Keiner büßt, wenn er ihm vertraut
                       5,12 Doch freuen mögen sich, die dir vertrauen[46]

2. a: Makarismus   Ps 84,13 glücklich ist der Mann, der auf dich traut

   b: Konditionalsätze
                    Ps 32,10 Wer Jahwe vertraut, den umgibt er mit Huld
                    Spr 28,25 Wer auf den Herrn vertraut, wird reichlich gelobt
                        29,25 Wer auf den Herrn vertraut, ist gesichert[47]

3. a: Makarismus   Mt   5,5 Selig die Sanftmütigen/Armen, denn sie werden das
                         Land erben

   b: Aussagesatz Ps 37,11 Doch die Armen werden das Land besitzen[48]

Bei der Überlieferung der Weisheitssprüche fällt auf, daß sie, soweit sie nicht ausdrücklich als Worte der Weisheit (z.B. Spr 8) deklariert sind, keine Autorität aufweisen außerhalb des von ihnen Ausgesagten. Die Weisheitssprüche tragen so ihre Autorität in sich selbst, ihre Wahrheit hängt nicht an der Autorität dessen, der sie ausspricht.[49] Gilt dies für viele Makarismen in ähnlicher Weise, so könnte die Makarismusform, deren Inhalt wie gezeigt in ein Aussagewort überführt werden kann und z.T. überführt worden ist bzw. der ein Aussagewort vorausliegt, die Funktion der Verstärkung haben: Der Makarismus hebt den Inhalt von den übrigen Weisheitssprüchen ab und verleiht ihm so einen über diese hervorragenden Charakter. Jedoch dürfte dies in aller Regel nur für den Sitz des Makarismus in

---

45 Vgl. zu diesen Beispielen Kähler, Diss. Teil I A. 58.
46 Übersetzung der Psalmenbelege nach Kraus, Ps I/II.
47 Im MT steht hier bṯḥ.
48 Der griechische Text von Mt 5,5 ist weitestgehend mit Ps 36,11 LXX identisch; vgl. im übrigen auch noch Mt 5,7 mit Spr 17,5c LXX.
49 Vgl. dazu Zimmerli, Ort und Grenze 308; ders., Struktur 182f.; Berger, Sog. Sätze 32f.

der Literatur gelten, der, wie Westermann für das Sprichwort gezeigt hat,[49a] nicht von vornherein als der primäre gelten kann. Es gilt darüber hinaus ohnehin nur für die — freilich zahlreichen — Makarismen mit weisheitlich-paränetischem Inhalt.[49b] Da es aber auch Makarismen ohne paränetischen Charakter gibt, wie wir gesehen haben, kann dies nicht die einzige Erklärung sein. Die Frage ist aber überhaupt, ob das *primär* paränetische Verständnis den Makarismen gerecht wird. Wir müssen hier an die Ausführungen über Aussagewort und Mahnwort in der Weisheitsliteratur anknüpfen (vgl. oben 2.2.1), wo wir zu dem Ergebnis kamen, daß beide nicht ohne weiteres identifiziert werden dürfen, daß vielmehr der Aufforderungscharakter in den Aussageworten zwar durchaus enthalten, aber nicht deren primäre Intention ist, der Aufforderungscharakter muß dem Aussagewort erst durch Urteil — so Westermann[50] — entnommen werden. Bei den Makarismen scheint mir nun der Sachverhalt äußerst ähnlich zu sein. Es ist nicht zu leugnen, daß man gerade in den weisheitlich geprägten Makarismen — vor allem bei wiederholter Lektüre! — den Gedanken der Forderung ausgesprochen findet, nur ist zu fragen, ob dies nicht eher ein Ergebnis der wiederholten Lektüre eines allgemein gefaßten Satzes ist, das zudem durch Mahnworte im Kontext und durch das literarische Genre „Weisheit" mitbedingt ist, und ob dieser Charakter des Makarismus auch in einer evtl. vorauszusetzenden mündlichen Vorgeschichte dieses Makarismus — zumal wenn dieser als Einzelspruch vorzustellen ist — vorausgesetzt werden darf. So sehr im gegenwärtigen Kontext also ein Aufforderungscharakter *mit*enthalten sein dürfte, so sehr ist zu fragen, ob er dem Makarismus immer schon zu eigen war. Ich denke, daß man dieses Ergebnis an jener Seligpreisung verifizieren kann, an der sich dem

---

49a Vgl. Westermann, Weisheit im Sprichwort 149f.: „Wir treffen damit auf zwei Stadien der Überlieferung des Sprichwortes, die der gesamten Überlieferungsgeschichte des Sprichwortes vorgegeben sind: die primäre Überlieferungsweise ist das Vorkommen eines Sprichwortes in einer zu ihm gehörenden Situation; die sekundäre Überlieferungsweise ist die in Sammlungen. Diese Erkenntnis steht am Anfang jeglicher Erforschung des Sprichwortes und seiner Geschichte: Das Sprichwort hat seinen Ort je in der Situation, aus der es geprägt, in die hinein es gesagt wird; es kann also ursprünglich nur als *einzelnes*, als je *ein* Wort gesprochen werden. Wo es in der Mehrzahl, wo es in Sammlungen begegnet, hat das Sprichwort seinen ursprünglichen Ort, seinen ursprünglichen Sitz im Leben nicht mehr".

49b Dazu, daß Weisheit nicht ohne weiteres mit Paränese identifiziert werden darf, vgl. Wolff, Heimat 18ff., der auf der einen Seite eine „fraglos weisheitliche Herkunft" der Seligpreisungen betont, aber auf der anderen Seite schreiben kann: „Die in den Sippen gepflegte Gratulationsformel, die nach Ps 12,8 ihren ursprünglichen Sitz im Leben bei der Geburt eines Kindes gehabt haben kann, so wie das 'Wehe' von Haus aus zur Totenklage gehört, ist dann auch in die Umgangsformen weisheitlich geschulter höfischer Kreise übergegangen". Zur Nähe von Weisheit und Paränese vgl. auch Dibelius, Jak 17: „Die Spruchdichtung der Weisheitsliteratur hat eine Menge von Sentenzen verschiedener Herkunft und verschiedenen Inhalts gesammelt. Wenn diese Poesie sich in Prosa umsetzte, so entstand Paränese in unserem Sinn."

50 Weisheit im Sprichwort 152.

Verfasser diese Erkenntnis aufdrängte. L.v. Ranke schreibt einmal über den Katechismus Luthers von 1529: „Glückselig, wer seine Seele damit nährt, wer daran festhält!" Und diesem Zitat geht voraus: „Der Katechismus, den er im Jahre 1529 herausgab, von dem er sagt, er bete ihn selbst, so ein alter Doctor er auch sei, ist ebenso kindlich wie tiefsinnig, so faßlich, wie unergründlich, einfach und erhaben".[50a] Hieran wird doch wohl deutlich,[51] daß der Makarismus zwar auch implizit eine Aufforderung enthält, daß aber diese keineswegs das Primäre ist. Denn nicht der Wunsch, alle möchten sich an diesen Katechismus halten, steht im Vordergrund, sondern die Schönheit, Echtheit und Ursprünglichkeit dieses Katechismus, im Gefolge deren derjenige, der sich an ihn hält, glücklich zu preisen ist. Der Lobpreis dürfte hier eindeutig im Vordergrund stehen und die Paränese darf erst als zweite, deutlich nachgeordnete Intention angesehen werden.[51a] Ob man dabei überhaupt noch von einer Intention sprechen darf, ob nicht besser von einer Implikation die Rede ist, die mit der Allgemeinheit der Seligpreisung zusammenhängt (jeder, der . . ., ist glücklich zu preisen), sei wenigstens gefragt.

Ein weiteres Beispiel, das zeitlich den neutestamentlichen Makarismen nähersteht, sei hier noch angefügt:

> Beatus ille, qui procul negotiis
> (Ut prisca gens mortalium)
> Paterna rura bobus exercet suis
> (Solutus omni faenore)
>
> Glückselig, wer dem Treiben der Geschäfte fern
> Gleich wie die Menschheit alter Zeit
> Mit eignen Rindern sein ererbtes Gut bepflügt,
> Von allen Wucherplagen frei. (Horaz, Epoden 2,1)

Daß auch hier der Lobpreis des Landlebens fernab vom geschäftigen und wucherischen Treiben im Vordergrund steht, woraus dann allenfalls sekundär eine Aufforderung an alle vom Geschäft sich auffressenlassenden und von Wucher geplagten Menschen wird, sich doch dem Landleben zu widmen, dürfte schon daraus erhellen, daß die zweite Kondition „mit eigenen Rindern sein *ererbtes* (paterna rura)

50a Ranke, L.v., Deutsche Geschichte im Zeitalter der Reformation I-VI, Leizpig [7]1894, II 313.

51 Die Vergleichbarkeit dieser Seligpreisung mit denen des AT und NT dürfte deutlich gegeben sein; es handelt sich um eine Seligpreisung mit verdoppeltem, im synonymen Parallelismus membrorum stehenden Attributsatz.

51a Vgl. auch Guelich, Beatitudes 416: „A Beatitude is essentially a declarative sentence, but the nature of the declaration is such that it readily takes on a hortative and parenetic tone". Vgl. auch die Fortsetzung dieses Zitats 416f., freilich aber auch, daß Guelich alle Makarismen des Alten Testament über einen Kamm schert, ohne zu sehen, daß der paränetische Charakter mehr, aber eben auch weniger im Vordergrund stehen kann. Vgl. auch ders., Sermon 64: „The declarative sentence gradually becomes an exhortation . . ."

Gut bepflügt" dem Verhalten des Menschen weitgehend entzogen ist. Die Makarismen dürften daher von Hause aus eher Zuspruch und Glückwunsch sein, der dann auch nicht auf eine affirmative Begründung angewiesen war.[51b]

Liedke hat diesen – von ihm nicht so genannten – Glückwunsch- oder Grußcharakter dadurch verdeutlicht, daß er auf den Gegenwartscharakter der Seligpreisungen hingewiesen hat: „Das *in den apodiktischen Rechtssätzen* bezeichnete Handeln (Untat oder Guttat) liegt zum Zeitpunkt des Spruches in *der Zukunft*. *Die Wehe- und Heilsworte* gelten denen, 'die *jetzt* gerade etwas Bestimmtes tun' oder sind."[52] Daß Kähler dem widersprochen hat, versteht sich von seinem Ansatz her von selbst, und hieran wird noch einmal das Problem, um das es geht, ganz deutlich: „ . . . denn Liedkes Begrenzung auf die jeweilige Gegenwart setzt für die Makarismen voraus, daß sie bestimmte Personen oder Gruppen anreden. Das ist nicht der Fall. Sie treffen, wie die weisheitlichen Sätze im Tat-Folge-Schema, Aussagen, die 'immer' gültig sind, also *auch* 'in Zukunft'. Insofern Makarismen, Weherufe, apodiktisches Recht und weisheitliche Sätze im Tat-Folge-Schema 'immer' gültige Regeln geben für den gesetzten oder erfahrenen Zusammenhang des Handelns mit seinen Folgen, sind sie zeitlich entschränkt."[53] Die Frage wäre nur, ob sich beides so widersprechen muß, wie Kähler annimmt, so daß der Aufforderungscharakter eindeutig den Zuspruchscharakter, der im übrigen keineswegs auf eine Anrede angewiesen ist, überwiegt. So wenig der „latente Universalismus"[54] der Makarismen zu leugnen ist, so wenig doch auch ihr Zuspruchscharakter, der, wie wir gesehen haben und wie auch aus der betonten Voranstellung des „wohl/ glücklich" resultiert, den Aufforderungscharakter überwiegt.[55]

Abschließend seien – nach zwei außerbiblischen – nun auch noch einige biblische Makarismen in 3. Person – in verschiedenen Übersetzungen – vorgestellt, die die Feststellung von dem Überwiegen des Zuspruchscharakters zu verdeutlichen vermögen:

Psalm 94,12

Wohl dem Mann, den du, Herr, erziehst, den du mit deiner Weisung belehrst (Einheitsübersetzung).

51b Vgl. dazu nur Koch, Formgeschichte 9: „Betont ist nicht eine Summe von Tugenden, betont ist vielmehr die Heilszusage, die in dem „Selig" am Anfang aufklingt . . ." Nach Windisch, Sinn der Bergpredigt 8 halten sich der Trostcharakter und der Aufforderungscharakter der Seligpreisungen immerhin noch die Waage. – Das ethische Verständnis der Seligpreisungen des Mt wiederum wird stark betont von Dodd, Beatitudes 7f.

52 Gestalt 147 unter Einschluß eines Zitats von Westermann (Sperrung I.B.).

53 Diss. 20.

54 So eine Formulierung Kählers, Diss. 20, übernommen von Berger, Formgeschichte 189.

55 Unser Ergebnis stimmt wenigstens zum Teil mit dem von Käser v.a. an Ps 119 abgelesenen überein; Käser läßt freilich über den von ihm betonten Zuspruchscharakter den implizit enthaltenen paränetischen Charakter der Makarismen zu kurz kommen. – Vgl. auch noch Giesen, Heilszusage 194f.

Glücklich der Mann, den du, Jah, erziehst und aus deiner Weisung belehrst (Kraus).
Selig der Mann, den du, Jahwe, zurechtweist und aus deiner Weisung belehrst (Deissler).

Psalm 146,5

Wohl dem, dessen Halt der Gott Jakobs ist und der seine Hoffnung auf den Herrn, seinen Gott, setzt (Einheitsübersetzung).
Glücklich ist, dessen Hilfe der Gott Jakobs ist, dessen Hoffnung auf Jahwe, seinem Gott, steht (Kraus).
Selig, dessen Hilfe der Gott Jakobs ist, der seine Hoffnung auf Jahwe, seinen Gott, setzt (Deissler).

1 Könige 10,8

Glücklich sind deine Männer, glücklich diese deine Diener, die allezeit vor dir stehen und deine Weisheit hören (Einheitsübersetzung).

Allerdings hat Kähler einen Einwand von der Sprachwissenschaft her gegen den Charakter des Makarismus als Gruß, unter den auch das Verständnis als Glückwunsch oder Segen zu subsumieren sei[56], vorgetragen, auf den hier abschließend eingegangen werden muß. Da die originäre Form des Makarismus die 3. Person, die genuine Form der Anrede und damit des Grußes aber die 2. Person ist, lassen sich die Makarismen nur als Gruß in Form der Aussage verstehen – ein in vielen Sprachen belegtes Phänomen. Im Unterschied zu den Belegen, wo eindeutig die Form der Anrede in 3. Person belegt ist und wo immer Ersatzmarkierungen den Anredecharakter sicherstellen, wird in den Makarismen mit 3. Person die Relation Angeredeter-Sprecher sprachlich nur selten gekennzeichnet; wo dies aber der Fall ist, ist der Makarismus nicht als Gruß, „sondern als indirekte Mahnung in Form einer Aussage" zu verstehen, so daß ein Verständnis der Makarismen im Sinne eines Zuspruchs nicht in Frage kommt.[57]
Dieses Argument dürfte schon deswegen nicht zutreffen, weil im Alten Testament der Segen ebenfalls in 3. Person belegt ist, und dies nicht nur in Fällen, wo eine Bedingung dem eigentlichen Segen hinzugefügt ist (Gen 27,29; Num 24,9; Jer 17,7; Ps 118,26[58]), sondern auch in anderen Fällen, z.B. Jer 20,14: 'Der Tag, an dem meine Mutter mich gebar, sei nicht gesegnet'; Rut 2,20: 'Gesegnet sei er vom Herrn, der seine Gunst den Lebenden und Toten nicht entzogen hat.'[59]

---

56 Diss. 58.
57 Vgl. Kähler, Diss. 58ff.
58 Vgl. dazu Schottroff, Fluchspruch 166.
59 Dtn 28,4 wäre ein Beispiel im Sinne Kählers, insofern hier der Anredecharakter durch das Personalpronomen der 2. Person und durch das sowohl vorangehende als auch folgende „Du" deutlich herausgestellt wird.

Fazit

Unsere Erwägungen zur Gattung der Makarismen haben ergeben, daß durchaus Anlaß besteht, das die Seligpreisungen einleitende 'wohl/selig' ernstzunehmen, und daß keineswegs der dazugehörende Attributivsatz ohne weiteres und in erster Linie als Konditionalsatz in dem Sinne 'selig sind die Menschen, *wenn* sie arm sind' verstanden werden darf. Vielmehr ist der Zuspruchscharakter das Primäre. Seligpreisungen stellen einen Zusammenhang fest, der nach Ansicht des Sprechers/Schreibers besteht, und sind nicht in erster Linie Paränese.[60] Insofern genügt es gerade nicht, die Einführung der Makarismen „als bewußt feierliche Stilisierung anzusehen, die funktional der Einleitung durch 'Amen, ich sage Euch' entspricht"[61] — vor einem solchen Verständnis sollte eigentlich schon die Tatsache warnen, daß 'Amen, ich sage Euch' nur den Redebeginn ohne konkreten Inhalt markiert, während 'selig' doch schon einen Inhalt trägt. Daß dann in zweiter Linie auf Grund des konstatierten Zusammenhangs alle so sein wollen wie die Seliggepriesenen, ist eine sekundäre Folge, die nicht als primäre Intention der Seligpreisungen angesehen werden kann. Vor einer Identifizierung der Seligpreisungen mit „den übrigen Konditionalsätzen im Tat-Folge-Schema, die die Bergpredigt von 5, 19.20-7,21 bestimmen"[62], sollte doch schon die unterschiedliche Form warnen. Solange kein Anlaß besteht, 'selig' als semantisches Nullum anzusehen, ist zwischen Seligpreisungen und Konditionalsätzen im Tat-Folge-Schema zu unterscheiden.

---

60 Vgl. auch Burchard, Versuch 417f., der von der Bezeichnung der Seliggepriesenen als 'notae ecclesiae' spricht und die Makarismen der Bergpredigt „als tröstliche Erinnerung an die Verheißung" bezeichnet. Vgl. darüber hinaus Holtz, Grundzüge 11: Die Makarismen „sind gerade keine Tafel von Einlaßbedingungen in das kommende Reich. Natürlich steckt in diesen Sätzen auch ein Moment der Aktivierung. Der Angeredete wird ermutigt zum Annehmen und Durchhalten seiner Befindlichkeit und seines Verhaltens, auf das hin er angesprochen wird. Würde man aber die einzelnen Benennungen der Seligpreisungen irgendwie imperativisch verstehen, so würde alles schief und verklemmt".
Vgl. auch das gleiche Ergebnis in diesem Punkt — trotz mancher Divergenzen in Einzelfragen — bei Merklein, Jesu Botschaft 50f.
61 So Kähler, Diss. 176.
62 So Kähler, Diss. 177.

3. KAPITEL

Zum Problem der matthäischen Sondergut-Makarismen

3.1 Dilemma

Herkömmliche Exegese sieht die Frage nach den Quellen als besonders wichtig an, wie man nicht nur an der Tatsache sehen kann, daß in praktisch allen exegetischen Analysen die Frage nach den Quellen ausführlich gestellt wird; auf unseren Fragekomplex der Seligpreisungen bezogen sagt Guelich auch ausdrücklich: „An examination of the Matthean Beatitudes must consider especially the question of source, since it makes a world of difference whether the evangelist and/or his tradition is responsible for these changes."[1] Aber wir stehen hier vor einer ähnlichen Meinungsvielfalt wie bei der im 1. Kapitel angesprochenen Frage, in welcher Person die Seligpreisungen ursprünglich abgefaßt waren, ja, man muß wohl sagen, daß die Situation hier noch viel schlimmer ist. Einigkeit besteht zwar weitgehend darüber, daß 'im Geist' (Mt 5,3) und 'dürsten nach Gerechtigkeit' (Mt 5,6) matthäische Zusätze sind, darüber hinaus aber gibt es ein vielfältiges Meinungsspektrum.

Wir bleiben auch bei dieser Frage auf dem eingeschlagenen Weg, indem wir die herkömmliche Analyse möglichst umfassend vorzunehmen versuchen, die Interpretation aber zugleich synchron-deskriptiv angehen, ein Verfahren, dessen Berechtigung in einer vertieften Reflexion über das Wesen von Redaktion und Tradition zu erweisen ist, wie der Verfasser sie andernorts vorgelegt hat und im Folgenden noch zu vertiefen versuchen wird.[2]

3.2 Meinungen

Im wesentlichen werden in der Literatur drei Meinungen vertreten:

1. Die Seligpreisungen des Mt sind bis auf V.10 und eventuelle Zusätze in V.3 und 6 von Mt schon vorgefunden worden.[3]

---

1 Beatitudes 419.
2 Vgl. Broer, Freiheit.
3 So Strecker, Makarismen 259ff.; Guelich, Beatitudes 421ff.; Lührmann, Liebet 415; Kamlah, Form 25; Bultmann, Geschichte 115; Koch, Formgeschichte 51 hält V. 10 für vormatthäisch, dafür V. 7 für matthäisch, vgl. aber auch 53 A. 15; Bornkamm/Barth/Held, Überlieferung 115; Wrege, Überlieferungsgeschichte passim hält sogar Mt 5,3-12 für vormatthäisch.

53

2. Die bei Mt über Lk hinausgehenden Seligpreisungen sind von Mt selbst gebildet worden.[4]

3. Eine gemeinsame Vorlage für Mt und Lk wird überhaupt in Abrede gestellt.[5]

Da die dritte Meinung angesichts der Parallelen zwischen Mt und Lk wenig für sich hat[6], seien hier nur die beiden ersten Meinungen vorgestellt. Die ausführlichste Begründung für die Traditionalität der matthäischen Sondergut-Makarismen aus der letzten Zeit stammt von Guelich (Beatitudes 419 ff.). Seine Gründe lassen sich wie folgt zusammenfassen:

1. In Mt 5,7-9 sind keine matthäischen Sprach- und Stileigentümlichkeiten vorhanden.

2a. Mt 5,7-9 (evtl. auch 5,5) lassen noch deutlich den Zusammenhang zwischen dem in Q enger mit den Seligpreisungen verbundenen Gebot der Feindesliebe erkennen.

2b. Mt 5,8 weist ebenfalls auf einen in Q mit den Seligpreisungen verbundenen und bei Lk noch vorhandenen Kontext hin: Lk 6,39-45 (vgl. Mt 7,3-5. 15-20).

3. Mt 5,7-9 bilden in ihren jeweiligen Verheißungssätzen eine aufsteigende Reihe. Da sie eng mit dem Kontext der Bergpredigt zusammenhängen (s. unter 2a), hat Mt 5,7-9 bereits in Q^{Mt} vorgefunden.

4. Auch Mt 5,5 ist eher traditionell als redaktionell, da die Annahme redaktioneller Hinzufügung zwar manche Schwierigkeiten löst, dafür aber neue und größere hinterläßt: In diesem Fall müßte Mt die Synonymität von 'Arme im Geist' und 'Demütige' im hebräischen Original (vgl. Jes 61,1 und Ps 37,11) entgangen sein; die Verbindung von Mt 5,3.4.6 mit Jes 61,1-3 bei Mt (und nicht bei Lk!) ist hier übersehen. Von daher ist Mt 5,5 ebenfalls Q^{Mt} zuzuweisen.

So kommt Guelich zu dem Schluß, daß die Seligpreisungen Mt 5,5.7-9 etwa zum gleichen Zeitpunkt in die matthäische Q-Vorlage der Bergpredigt Mt 5,3.4.6. 11. 12 "and the other 'Sermon' material beginning with the section of love for one's enemies" eingefügt worden ist. (Beatitudes 426)

---

4 So z.B. Dupont I 260 u.ö.; Frankemölle, Makarismen passim; Merklein, Gottesherrschaft als Handlungsprinzip 48; Walter, Seligpreisungen 249; Grundmann, Bergrede Jesu 13 A. 2. Manche Autoren differenzieren hier auch zwischen Form und Inhalt, erstere stamme von Mt, letzterer sei traditionell, so z.B. Neuhäusler, Anspruch und Antwort 142.160. Vgl. neuerdings Gundry, Matthew passim, z.B. 69.
5 Bartsch, Feldrede 11; Agouridès, Tradition 9; Knox, W.L., The Sources of the Synoptic Gospels, Cambridge 1957, 12f.; Wrege, Überlieferungsgeschichte passim.
6 Vgl. dazu auch Frankemölle, Makarismen 58.

Bei Streckers Gründen für die Aufteilung von Redaktion und Tradition spielt die Siebenzahl eine entscheidende Rolle. Ist einerseits Mt 5,5 „möglicherweise" „auf Grund des Prinzips der Siebenzahl in die Makarismenreihe aufgenommen worden" (Makarismen 264), so zeigt für V. 10 „schon die Sprengung der Siebenzahl . . ., daß er der vormatthäischen Tradition nicht angehörte." (267) Hinsichtlich Mt 5,5 wird angeführt, hier sei ein Motiv für redaktionelle Bildung nicht erkennbar. (264)

Für die Redaktionalität der matthäischen Sondergut-Makarismen hat sich relativ umfassend in letzter Zeit Frankemölle (Makarismen 68-73) ausgesprochen; er nennt folgende Gründe:

1. Ausgangspunkt der Überlegungen ist „das gesicherte Ergebnis", daß Mt und Lk die vier Q-Seligpreisungen und die vier Wehe gekannt haben und „daß diese gemeinsame Vorstufe den entscheidenden messianischen Erfüllungsruf Jesu zum Inhalt hatte." (68)[7]

2. Sodann wird das Ergebnis des Beweisganges apodiktisch antizipiert: „Der Endredaktor des Matthäusevangeliums aber hat die in Q angelegte Beziehung zur Gattung der Weisheitspsalmen aufgenommen und mit messianisch-eschatologischen Texten (Jes 61,1ff. u.a.) — entsprechend der Grundausrichtung seiner gesamten Theologie — kombiniert, und zwar nicht nur in seinem 'Sondergut', sondern auch in einer Lk-Parallele, so daß wir den Prozeß der Transformation verfolgen können." (68)

3. Mt 5,4 ist matthäische Änderung der Q-Vorlage, der Redaktor hat 5,3f. in Anlehnung an Jes 61,1f. zu einem Makarismus-Paar gestaltet.

4. 'Im Geist' Mt 5,3 scheint Frankemölle ebenfalls auf Mt zurückführen zu wollen — diese Erweiterung lag im Kontext von Jes 61,1ff. nicht fern, da in Jes 61,1 von den 'Gebrochenen am Herzen' die Rede sei und das Vorliegen der gleichen Wendung in Qumran ('arm im Geist') von daher nebensächlich werde.

5. Mt 5,5 lehnt sich an Ps 37,11 an.

6. Mt 5,6 ist vom Endredaktor erweitert worden, wofür spricht, daß Mt „die Gerechtigkeit zu einem Grundthema der Bergpredigt und seines ganzen Evangeliums macht". (71)

7. Mt fand eine Parallele zu 5,7 in Spr 14,21 ἐλεῶν δὲ πτωχοὺς μακαριστός (aber wohl dem, der sich der Armen erbarmt!), „wo wenig später (17,5c LXX) die Verheißung (ἐλεηθήσεται [er wird Erbarmen finden]) folgt." (71)

8. Zu Mt 5,8 sind die alttestamentlichen Wendungen mit einem status constructus der Beziehung (in LXX: Dativ der Beziehung) zu vergleichen. Schon in Ps 24,6

---

7 Schnackenburg, Friedensstifter 165 faßt dieses Argument Frankemölles so zusammen: „Mt hat die bei Lk tradierten Weherufe in Q vorgefunden und absichtlich in der Bergpredigt weggelassen, aber in Kap. 23 verarbeitet" und gibt dazu den Kommentar: „Mir sehr fraglich".

u. a. geht es wie in Mt 4 und auch sonst in seinem Evangelium im Gegensatz zur frühjüdischen Religion um ethische Lauterkeit.

9. Mt 5,9: Das Motiv ist aus Ps 34,15 übernommen und „Mt kannte die Wendung von den Söhnen Gottes, wie der redaktionelle Vers 5,45 zeigt." (72).

10. Schließlich wird die Beweislast denjenigen zugewiesen, „die eine kontinuierliche Entwicklung der einzelnen Makarismen annehmen." (73) Die Annahme, daß der Mt-Text „diese rhetorisch durchgefeilte Stilisierung nur von einem einzigen Redaktor erhalten hat, nicht aber von mehreren" (55), hat sich für Frankemölle erwiesen[8].

Schnackenburg hat im Anschluß an eine Zusammenfassung der Argumente von Guelich und Frankemölle festgestellt: „Man müßte das Verfahren des Evangelisten Matthäus noch an weiterem Material prüfen; das kann hier nicht geschehen. Vieles spricht für ihn als einen eifrigen und fähigen Redaktor; aber daß er auch schon in der Gemeinde vor- oder weitergebildete Stücke in seinem Sondergut aufgenommen hat, scheint mir z.B. aus 18,15-20 hervorzugehen. Wir kommen also zu einem non liquet."[9] – Spiegelt schon dieses Resultat des Altmeisters der deutschen neutestamentlichen Exegese die Aporie des Faches auf unübersehbare Weise, so sei diese noch ein wenig verdeutlicht. Zur Erinnerung: Strecker, ein durchaus redaktionsgeschichtlich versierter Fachmann der Mt-Exegese, hatte zu Mt 5,5 geurteilt: Ein Motiv für die redaktionelle Einfügung der Seligpreisung der 'Sanftmütigen' läßt sich nicht erkennen.[10] Dagegen stellt Barth, der ebenfalls wichtige und häufig zitierte redaktionsgeschichtliche Analysen zum Mt-Evangelium vorgelegt hat, fest, daß Mt 5,5 „spezifisch matthäisches Sprach- und Gedankengut enthält: πραΰς findet sich in den Evangelien nur bei Mt 3-mal; der Gedanke der Demut ist, vor allem in der Christologie, wo Matthäus das Messiasgeheimnis bei Mc. nach diesem Gesichtspunkt interpretiert (vgl. Mt 21,5; 12,15-21), ein Lieblingsgedanke des Matthäus. *Daher muß 5,5 als seine Bildung gelten.*"[11]

---

8 Die Erörterung der matthäischen Sondergut-Seligpreisungen steht bei Dupont I 257ff. sehr stark unter der Perspektive, ob Lk diese in seiner Q-Vorlage vorfand oder nicht. Übereinstimmung mit dem theologischen Interesse des Mt stellt Dupont für Mt 5,5.7 ausdrücklich fest, entscheidend für die Zuweisung der matthäischen Sondergut-Seligpreisungen ist für Dupont „la note morale" dieser Makarismen, die in Übereinstimmung mit den übrigen Retuschen an den Q-Makarismen durch Mt ('im Geist') 5,3; ('und dürsten nach Gerechtigkeit') Mt 5,6 und den von ihm eingefügten Makarismen Mt 5,5.10 steht. (259ff.) – Kritisch dazu Burchard, Versuch 417.
9 Friedensstifter 166f.
10 Makarismen 264.
11 Bornkamm/Barth/Held, Überlieferung 115 A. 2 (Sperrung I.B.).

3.3 Methodische Reflexion

Ungeachtet der Tatsache, daß Gedanken häufig nur schwer und selten mit großer Sicherheit zuzuschreiben sind — das gilt erst recht bei so verwickelten Traditionsverhältnissen, wie sie dem Neuen Testament vorausliegen —, reicht es m.E. nicht aus, eine alttestamentliche Vorlage auszumachen und diese dann einfach Mt zuzuschreiben. Daß Mt an der Konstatierung der Erfüllung des Alten Testamentes Interesse hat, verdient angesichts der über das ganze Evangelium — wenn auch ungleichmäßig — verstreuten Reflexionszitate keinen Zweifel. Aber hier wird ein Interesse an der ausdrücklichen Konstatierung der Erfüllung des Alten Testaments erkennbar und dieses Interesse ist allenfalls bedingt mit dem vergleichbar, das in einem impliziten, alttestamentlichen Zitat zum Ausdruck kommt, da ersteres mit Nachdruck auf den zu konstatierenden und belegbaren Erfüllungsgedanken hinweist, der bei einem impliziten Zitat zumindest nicht so betont ist. Auch sind ausgeprägte und besonders gelungen stilisierte Formen nicht notwendig Produkte eines Einzelnen — zumindest nicht, wenn man als Einzelnen nur den Evangelisten betrachtet! Wird nicht auch die häufig anonym genannte Tradition überwiegend, wenn nicht sogar ausschließlich von Erzählerpersönlichkeiten getragen? —, wie z. B. die stilisierten Wehe in Q zu zeigen vermögen,[12] so daß das Argument der formalen Struktur in der Tat auf ein non liquet hinausläuft. Wenn sowohl ein Interesse des Mt als auch seiner Quellen an der Siebenzahl erkennbar ist, so läuft jedes Argument mit der Siebenzahl ebenfalls auf ein non liquet hinaus.[13]

Der Hinweis auf erkennbaren Zusammenhang einer oder mehrerer Seligpreisungen mit in Q folgenden Stücken ist mit großer Vorsicht zu handhaben, da dieser Zusammenhang zwar durch Sammlung unabhängig voneinander entstandener Stücke zustande gekommen sein kann, aber keineswegs so zustande gekommen sein muß. Es kann — je enger der Zusammenhang, desto wahrscheinlicher — das, was heute als Zusammenhang erscheint, auch redaktionelle Abhängigkeit — auf welcher Stufe des Traditionsprozesses auch immer (Q, Q^{Mt}, Mt) — sein, d.h., wenn der von Guelich konstatierte Zusammenhang zwischen den Makarismen des matthäischen Sondergutes und dem übrigen Bergpredigt-Material bestünde, so könnte dieser Zusammenhang auch darauf beruhen, daß dieses Material den Evangelisten veranlaßt hat, die Sondergut-Makarismen zu bilden.

Obwohl theologische Gedanken des Mt auch schon vor diesem gedacht worden sein können und wohl auch gedacht worden sind — Gedanken fallen ja nicht vom Himmel, sondern haben ihre Vorstufen und ihren Kontext! — ist die einzige Möglichkeit, matthäische Redaktion festzustellen, doch wohl noch immer ein doppeltes Verfahren: 1) Der Nachweis, daß das in Frage stehende Gedankengut an anerkannt redaktionellen Stellen des Mt-Evangeliums vorliegt, was also auf ein aner-

---

12 Vgl. dazu Frankemölle, Pharisäismus 134ff. — hier wäre auch hinzuweisen auf Mt 5,29.30; 6,1-18; 12,41.42 par Lk 11,31f.
13 Zu Strecker, Makarismen.

kanntes Interesse des Mt an dieser theologischen Aussage hinausläuft.[13a] 2) Der Nachweis, daß die angewandte Sprache zur Sprache des Mt paßt.[14] — Daß Eindeutigkeit und Klarheit des Urteils auch hier schwierig ist, dürfte sich schon an den oben angeführten diametral entgegengesetzten Urteilen zu Mt 5,5, dem Makarismus der Sanftmütigen, ergeben.

Der Exegese ist diese Frage, also ob Mt der Autor der Makarismen seines Sondergutes ist, deswegen wichtig, weil sie meint, dann seien diese Makarismen in besonderer Weise für den Evangelisten und seine Absichten typisch[14a] — d.h. redaktionelle Abfassung wird gleichgesetzt mit dem Vorliegen von theologisch-zentralen Gedanken des Evangelisten. Diese Auffassung verdient von verschiedenen Seiten Kritik. Zum einen denkt niemand alles neu, also wird auch die Theologie des Mt an zahlreichen Punkten — ich tendiere sogar dahin zu sagen: eher an den meisten als an wenigen — zentrale theologische Gedanken seiner Umgebung aufnehmen und mit Hilfe von Sprachmustern seiner Umgebung zum Ausdruck bringen.

Diese Sprachmuster seiner Umgebung sind aber nichts anderes als die Perikopen, die sein Traditionsmaterial bilden. — Des weiteren ist zu fragen, ob die besonderen und redaktionell von Mt eingefügten Nuancen als theologische Zentralgedanken des Mt angesehen werden dürfen — von vornherein wahrscheinlich ist doch viel mehr, daß Mt in den theologischen Zentralgedanken, z.B. von Gott als einem dem Menschen vergebenden und ihm wohlgesonnenen „Wesen" (vgl. Mt 18,23-34; 20,1-15) oder vom Menschen als Gott verantwortlichem „Wesen" (Mt 7,24-27; 25,31-46), mit seiner Umgebung übereinstimmt und sich deswegen auch deren Sprachmuster bedient, Eigenes dagegen eher im Peripheren und durch eine spezielle Nuancierung zum Ausdruck bringt. Sprechen auch diese Erwägungen über

---

13a Erstaunlich ist, daß Frankemölle trotz der von ihm vertretenen redaktionellen Bildung der matthäischen Sondergut-Makarismen solche Überlegungen zu Mt 5,4 (wo nur auf Mt 9,15 verwiesen wird), 5,5 (wo ebenso nur auf Mt 11,29 als Sondergut-Text und auf 21,5 hingewiesen wird) und 5,8 gar nicht anstellt, während er zu 5,7 ausdrücklich feststellt: „Mt hat das Thema der 'Barmherzigkeit' redaktionell außerordentlich stark betont (vgl. 6,2.3.4; 9,13; 12,7; 15,22; 17,15; 18,33; 23,23!)." Vgl. Frankemölle, Makarismen 71.

14 Zur Vermeidung von Wiederholungen sei hier einfach auf die Arbeit des Verfassers, Freiheit 16ff. hingewiesen.

14a Diese weit verbreitete Ansicht wird besonders deutlich bei Fischer, Redaktionsgeschichtliche Bemerkungen 114, wenn er es ablehnt, sich für die Theologie des Mt auf Q-Texte zu stützen. Vgl. aber auch ebd.: „Natürlich ist dies nicht ein völlig neuer Entwurf des Matthäus, sondern die Christologie seiner Gemeinde, denn überall erweist sich diese Christologie als Voraussetzung seiner Gestaltung; nirgends hat man den Eindruck, daß er neu formuliert." Vgl. auch ebd. 116. Unzureichend ebenfalls die Überlegung von Hübner, Gesetz in der synoptischen Tradition 15 zu Mt 5,17-20. Ebenso Dietzfelbinger, Antithesen 38 zu den Antithesen. Räisänen, Parabeltheorie 37 zu Mk 7,6 und zur Rolle des Volkes in der Passionsgeschichte. Angemessener urteilen zu dieser Frage: Gräßer, Antijüdische Polemik 78; Eichholz, Paulus 121; Strecker, Makarismen 256; Hoffmann, Studien 3.

die bereits früher vorgetragenen[15] hinaus für eine geringere Gewichtung der Unterscheidung von Redaktion und Tradition, so seien die vorgetragenen Argumente für Redaktion und Tradition der matthäischen Sondergut-Seligpreisungen doch einer Nachprüfung unterzogen, um wenigstens den Versuch zu machen, auch in diesem Punkt etwas weiterzukommen.

3.4. Die Sondergut-Makarismen des Mt und der 1. Evangelist

Der Kern der Argumentation wird in folgendem Zitat Guelichs deutlich: „Since these Beatitudes are related more closely to the immediately subsequent Q material, as it is now found in the Lucan Sermon in contrast to Matthew, and since each keys on words or phrases no longer found in the Matthean Sermon (5,7 par. Luke 6,36; cf. Matt 5,48; 5,8 par. Luke 6,45; cf. Matt 12,34-35), this would not only mean that these Beatitudes were pre-Matthean and consequently not the editorial products of the evangelist but that they could hardly have had an independent traditional existence such as 'M'. Therefore, one would have to place the development of these Beatitudes in a pre-Matthean expansion of the Q-Beatitudes (Q^{Mt})."[16]

Zunächst ist zuzugestehen, daß verbale Anklänge zwischen den matthäischen Sondergut-Seligpreisungen und dem bei Lk (zum Teil auch bei Mt) folgenden Q-Material bestehen. Die Söhne Gottes von Mt 5,9 tauchen in 5,45 wieder auf; das Gegenteil des Friedens (vgl. Friedensmacher in 5,9) ist die Feindschaft, von der in 5,44 die Rede ist – aber eben nur durch Erwähnung von Feinden und nicht von Feindschaft. Das Motiv der Barmherzigkeit (Mt 5,7) liegt in Lk 6,36 vor – aber bei verschiedenem Wortmaterial! – Damit sind die Parallelen bereits erschöpft.[17] Die Ausführungen Guelichs zu Mt 5,8 können kaum anders denn als Verlegenheitslösung bezeichnet werden[18]: 5,8 „could just as well have been set in conjunction with the section which focuses on behavior consistent with one's character (Luke 6,39-45; cf. Mt 7,3-5.15-20), a section which concludes with specific reference to the 'heart' as the source for one's words and deeds." (Beatitudes 422).

Ob diese Anklänge etwas beweisen, ist immerhin fraglich, vor allem deswegen, weil eine Beziehung von Mt 5,7.9 zum in Q folgenden Text belegbar ist, nicht aber von 5,8. – Die Frage der matthäischen Sondergut-Seligpreisungen ist deswegen so schwierig, weil diese in sich nicht einheitlich sind. Wenn man die These von Guelich und Lührmann akzeptiert, daß Mt 5,7.9, die in der zu Mt führenden Weiterentwicklung von Q entstanden sind, dazu dienen sollten, die Seligpreisungen mit dem ihnen in Q (und heute noch bei Lk) folgenden Feindesliebesgebot zu

15 Vgl. Broer, Freiheit 68f.; auch Theißen, Studien 12f.
16 Beatitudes 423.
17 Vgl. hierzu auch Lührmann, Liebet 413-416.
18 Vgl. auch, daß Lührmann, Liebet 415 Mt 5,8 nicht mit Mt 5,7.9 zusammenordnet, sondern mit 5,5.

verzahnen, ist man gezwungen, bei den Seligpreisungen des Mt wie Jahresringe mindestens fünf Schichten zu unterscheiden: 1. Mt 5,3.4? 6 par Lk 2. Mt 5,11 par Lk – beide Schichten sind unabhängig voneinander entstanden, aber schon in Q zusammengefügt gewesen. 3. Mt 5,7.9 als Q-Erweiterung in der zu Mt führenden Q-Tradition. 4. Eine sich sehr stark an LXX anlehnende weitere vormatthäische Ergänzung von Q, die 5,4 (?).5.8 – letzterer V. jedenfalls nach Lührmann – umfaßt haben soll. 5. Schließlich die matthäischen Ergänzungen in 5,3.6.10.

Der Tatbestand wird aber noch weiter dadurch erschwert, daß die Abgrenzung der aufgezeigten fünf Schichten insofern Probleme macht, als z.B. Mt 5,7 ebenso gut, wenn nicht besser, statt zur dritten zur vierten Schicht gerechnet werden kann. Denn während Lk 6,36a für Mt 5,7 nur der Sache nach das Stichwort 'barmherzig' geliehen haben kann, hat 5,7 eine deutliche Vorlage in Spr 17,5 c LXX[19]: ὁ δὲ ἐπισπλαγχνιζόμενος ἐλεηθήσεται (wer sich aber erbarmt, wird selbst Erbarmen erlangen). Aber der Sachverhalt ist sogar noch komplizierter: Lk 6,37a.b.c. 38a.c sind genau nach dem gleichen Muster gebaut wie Mt 5,7 - Lk 6,37a und b negativ, 37c. 38a.c positiv, nur der mit Lk 6,37 eindeutig zusammenhängende V.36, der gerade die Vorlage für Mt 5,7 geliefert haben soll, ist anders gebaut. Während in jenen Sätzen ein Tun-Ergehen-Zusammenhang mit identischen Worten für Tun und Ergehen konstatiert wird, führt Lk 6,36 das Vorbild 'eures Vaters' ein. – Man kann nun natürlich so argumentieren: Diese Tatsache zeige gerade die Abhängigkeit der Stelle Mt 5,7 von Lk 6,36 – der Verfasser von Mt 5,7 habe „ganz offensichtlich" das Thema der Barmherzigkeit aus Lk 6,36 entnommen und sich dann bei der Abfassung an die Form von Lk 6,37a.b.c. 38a.c angelehnt. Aber man kann auch umgekehrt argumentieren: Da Lk 6,36 nicht im Tun-Ergehen-Zusammenhang formuliert ist, wohl aber Mt 5,7, und da es in LXX eine ganz ähnliche „Vorlage" für Mt 5,7 gibt, kommt Lk 6,36 als Vorlage nicht in Frage. Ich denke, auf dieser Ebene ist daher das verhandelte Problem nicht zu einer überzeugenden Lösung zu bringen.

Aus der angeführten Argumentation ergeben sich auch schon Einwände gegen die These, alle bei Mt über Lk hinausgehenden Seligpreisungen seien redaktionelle Bildung des ersten Evangelisten. Die Uneinheitlichkeit der matthäischen Sondergut-Makarismen ist ein deutliches Argument dagegen: Während Mt 5,4.5 wörtlich auf die LXX-Übersetzung des Alten Testaments zurückgehen, und bei 5,7 noch eine starke Anlehnung erkennbar ist, kann für 5,8.9.10 eine solche Abhängigkeit nicht festgestellt werden, da zwar der Ausdruck die 'Herzensreinen' im Alten Testament durchaus belegt ist, nicht aber die in Mt 5,8 vorliegende Kombination von Reinheit des Herzens und Gottesschau. Ähnliches wäre für 5,9 und

---

19 Ohne daran herumdeuten zu wollen, daß bei dieser Abhängigkeit ein Wort nicht identisch ist – bei der Abhängigkeit von Lk 6,36 ist freilich das einzige Wort, daß das Motiv abgibt, nicht identisch –, kann hier doch darauf hingewiesen werden, daß die Wortgruppe σπλαγχνίζομαι κτλ. (sich erbarmen usw.) mit der Wortgruppe ἔλεος κτλ. (Erbarmen usw.) weitgehend bedeutungsgleich ist. Vgl. daß Spr 12,10 raḥᵃmīm mit σπλάγχνα (Erbarmen) wiedergibt, daß riḥam in der Regel durch οἰκτίρω (erbarmen) oder durch ἐλεῶ (sich erbarmen) wiedergegeben wird. (ThWNT VII 550, 1ff.)

10 festzustellen. Gemäß den oben genannten Kriterien ist für eine redaktionelle Bildung sowohl Übereinstimmung mit dem theologischen Interesse als auch mit der Sprache des Evangelisten zu fordern. Lassen sich die entsprechenden Nachweise führen? – Daß Mt an der in 5,5 und 5,7 selig gepriesenen Haltung interessiert ist, unterliegt nach meinem Urteil keinem Zweifel, und dieses Urteil ist unabhängig von der Frage, ob Mt 11,29 und 21,5 als Redaktion oder Tradition zu beurteilen sind,[20] da beide Stellen mit außerordentlich großem Gewicht innerhalb des Mt-Evangeliums beladen sind – was für 11,29 noch stärker gilt als für 21,5 – und insofern eine positive Identifikation des Evangelisten mit dem dort Ausgesagten voraussetzen. Das gleiche dürfte für das Motiv der Barmherzigkeit in 5,7 gelten, da allgemein angenommen wird, daß Mt für die Einfügung von Hos 6,6 in Mt 9,13 und 12,7 verantwortlich ist. Ob dagegen auch das Motiv der Trauer (Mt 5,4) sich als mit matthäischem Interesse besetzt ausweisen läßt, ist schwieriger festzustellen, da in Mt 9,15 zwar die Trauer sekundär in den Mk-Kontext eingefügt ist, dort aber sehr die Frage ist, ob die Trauer ein eigenständiges Element oder eher eine Variation des dort verhandelten Fastens darstellt.[21] Daß Mt ein eigenständiges Interesse an der Haltung der Trauer hat, wird man deswegen kaum unter Hinweis auf 9,15 behaupten können.

Ähnliches wie zu 5,4 ausgeführt gilt auch für 5,8, da zwar auf der einen Seite ein spezifisches Interesse an der hier gemeinten Reinheit innerhalb des Mt-Evangeliums nicht erkennbar ist, andererseits aber Mt 11,29 einen nicht nur von der Wortgestalt her ähnlichen Terminus bietet: 'Die im Herzen Niedrigen'. Da diese Stelle innerhalb des Gesamtevangeliums wie dargelegt eine exponierte Stellung aufweist, kann evtl. auch für diesen Ausdruck damit gerechnet werden, daß Mt diesen Gedanken nicht nur „mitschleppt", sondern daß er ihm wichtig ist. Das auch im Neuen Testament nicht gerade häufige Motiv der Gottesschau begegnet über Mt

---

20 Anders Guelich, Sermon 82, der aus Mt 21,5 und 11,29 gerade auf Traditionalität von Mt 5,5 schließt.

21 Fasten gehörte bei den Juden zur Trauer, vgl. ThWNT III 836,25ff., sowie 1 Sam 31,13 = 1 Chr 10,12; 2 Sam 1,12; Jdt 8,5.6. In der Literatur wird der Wechsel in Mt 9,15 unterschiedlich behandelt. Während Sand, A., Das Gesetz und die Propheten: Untersuchungen zur Theologie des Evangeliums nach Matthäus (BU 11) Regensburg 1974, 134 hier nur eine Gleichsetzung von Fasten und Trauern findet, betrachtet Strecker, Weg 189 die Änderung als für Mt charakteristisch: „πενθεῖν erhebt den formalen Ritus zum Ausdruck einer Haltung, die durch den Abstand von diesem Äon und durch das Warten auf die zukünftige Basileia geprägt ist." Mit der erstgenannten Meinung scheint auch Grundmann, Mt 272 – trotz des Hinweises auf Strecker in A. 3 – übereinzustimmen.
Der Schluß, den Dupont III 553 aus dieser Änderung des Mt zieht, scheint mir doch etwas weit zu gehen: „Mieux que l'idée de jeûne, celle de l'affliction semble caractériser, aux yeux de l'évangéliste, l'attitude chrétienne entre les deux venues du Christ." Das dürfte sich umso mehr ergeben, wenn man den traditionellen Charakter der Antithese Trauer – Hochzeit/Fest (vgl. 1 Makk 1,39; 9,41; Am 8,10) berücksichtigt. Vgl. auch noch Klgl 5,15 und Philo, De exsecr. 171. – Vgl. im übrigen auch noch Dupont I 267 A. 3.

5,9 hinaus noch in Mt 18,10. Dieser Vers wird zwar von Barth[22] als traditionell bezeichnet, aber Mt 18,10 könnte doch wohl eine Zusammenfassung und Überleitung des ersten Evangelisten sein. Dafür spricht die vorangehende Zusammenstellung verschiedenen Materials und die in 18,10 erfolgende Zurückführung zu dem in 18,8 verlassenen Zusammenhang, wenn auch die Vorstellung von der Gottesschau und den Engeln der Kleinen die Redaktionalität wieder in etwas schwierigerem Licht erscheinen läßt, da die allgemein verbreitete jüdische Ansicht eher dahin ging, daß die Lebewesen, die den Thron der Herrlichkeit tragen, die Herrlichkeit Gottes nicht selbst schauen.[23] Aber genauso wie diese abweichende Ansicht in der Gemeinde des Mt aufgekommen sein kann, kann sie auch auf Mt selbst zurückgehen. Redaktionelle Abfassung von Mt 5,8 ist damit keineswegs bewiesen, aber immerhin nicht unmöglich.

Mt 5,9 wird heute gern im Zusammenhang mit dem Feindesliebesgebot gesehen[24] und dies ist unter systematischem Gesichtspunkt sicher berechtigt: Die Bereitschaft, aktiv gegen Feindschaft und Krieg einzutreten, hängt durchaus mit dem Gebot, den Feind zu lieben, zusammen — nur ist das nicht das hier zu behandelnde Problem. Vielmehr muß es doch um den Nachweis gehen, daß und ggf. wie Mt vom in seiner Tradition vorgegebenen Feindesliebesgebot zur Seligpreisung der Friedensstifter kommt. Wenn man hier nicht alles einebnen will, wird man zum einen aus Mt 10,13.34 par Lk entnehmen können[25], daß Mt wohl in der Lage gewesen sein wird, eine solche Seligpreisung zu bilden — ein gewisses Interesse am Thema Frieden wird in diesen Versen durch ihre Übernahme, auch an nicht gerade unexponierter Stelle (Aussendungsrede Jesu an die Jünger), durchaus deutlich —, aber auf der anderen Seite ist nicht zu erkennen, daß Mt dazu auf das Feindesliebesgebot angewiesen gewesen wäre — da hätte sich doch wohl eine engere Anlehnung an die dort gewählten Formulierungen nahe gelegt.[26]

Sind von den Einzel-Makarismen entscheidende Einwände gegen redaktionelle Verfasserschaft nicht zu führen, so paßt das Gesamt der Sondergut-Makarismen doch kaum zu dieser These. Daß ein- und derselbe Redaktor sich bei mindestens

---

22 Bornkamm/Barth/Held, Überlieferung 114 A. 3 — ähnlich wohl auch Trilling, Israel 112.
23 Vgl. Strack/Billerbeck I 783; ThWNT IV 653 A. 15, aber auch ThWNT V 339f.
24 Vgl. nur Schnackenburg, Friedensstifter 168 ff., der auf Lührmann verweist; EWNT I 959.
25 Allerdings fügt sich der Sinn des Friedensbegriffes in Mt 10,13 hier nicht unbedingt ein, da hier doch wohl mehr als der Ausgleich von Spannungen gemeint ist. Hinter Mt 10,13 steht deutlich der umfassende Sinn des hebräischen Shalom, der aber in Mt 5,9 nicht vorliegt. Zu Mt 10,13 vgl. Schweizer, Mt 155: „In diesem Wort ist eine eindrückliche Überzeugung von der Wirklichkeit des in der Verkündigung den Glaubenden zugesprochenen *Segens* spürbar: im Wort besucht Gott selbst den Menschen, kommt über ihn oder verläßt ihn wieder." (Sperrung I.B.). Grundmann, Mt 291 bindet diesen Friedenswunsch und die Friedensmacher wohl zu eng zusammen.
26 Mt 5,10 wird so allgemein auf Mt zurückgeführt, daß hier auf eine Erörterung verzichtet werden soll.

zwei der von ihm zu verantwortenden Seligpreisungen wörtlich an das Alte Testament in Gestalt der LXX (Mt 5,4.5 und mit geringem Vorbehalt: 5,7), sich aber bei zwei weiteren Makarismen so an sein Traditionsmaterial hält, daß dieses nur mit sehr viel gutem Willen erkennbar ist, erscheint mir wenig plausibel. Hier muß man wählen. Ist der Autor des ersten Evangeliums für Mt 5,4.5 (7) verantwortlich, dann wohl nicht für 5,8f. (10) bzw. umgekehrt.[27]

---

27 Insofern ist G. Barth mit seiner vorsichtigen Formulierung doch noch nicht vorsichtig genug, wenn er Mt 5,5 „möglicherweise" auf die Redaktion des Mt verteilen, die 5. bis 7. Seligpreisung aber dem Sondergut des Mt zuschreiben will. (TRE V 605, 35ff.)

4. KAPITEL

Der Zusammenhang der Makarismen mit Jes 61

Frankemölle hat zu Recht einen breiten Konsens unter den Exegeten festgestellt, daß sowohl die aus Q stammenden als auch erst recht die zu Anfang bei Mt begegnenden Makarismen von Jes 61,1ff. abhängig sind.[1] Diese Abhängigkeit kann in der Literatur durchaus auf alle drei noch erkennbaren Traditionsstufen ausgedehnt werden: Jesus, Q, Mt und Lk — oder anders ausgedrückt: Die Bezugnahme auf Jes 61 wird auch schon für die Jesusstufe bejaht.[2]

Nun sind aber in neuerer Zeit hiergegen auch Bedenken vorgetragen worden, die an dieser Stelle bedacht werden müssen. Strecker möchte nur „fragen, ob auf die Urtradition der Makarismenreihe Jes 61,1-7 eingewirkt hat", und er warnt davor, „in diese Richtung allzu weit gehen zu wollen, ist doch schon bezeichnend, daß sich zu der ebenfalls der älteren Traditionsschicht zuzurechnenden Seligpreisung der Hungernden (V.6) in Jes 61 keine Entsprechung findet." Nach Strecker liegt es auf der Hand, „daß die Makarismenreihe nach Form (Makarismen!) und Inhalt (apokalyptische Verheißung!) eine gegenüber Jes 61 selbständige Aussage besitzt."[3] Noch kritischer hat sich Frankemölle geäußert: „So sicher feststeht, daß Mt entscheidende messianische Stellen des AT im Kontext der Makarismen verarbeitet hat (. . .), so fraglich bleibt dies für die Makarismen im lk Zusammenhang und in Q. . . . doch drängt sich bei der Durchsicht der Meinungen der Exegeten die Vermutung auf, als würde man stillschweigend die matthäische theologische Intention auf den lk Text übertragen." „Unter der Voraussetzung, daß Lk der Q-Tradition in den VV. 20b-21b ziemlich nahesteht (. . .), darf man die These wagen, daß für die ursprüngliche Einheit von Makarismus-Reihe und Weheruf-Reihe in Q (. . .) kein Bezug zur messianischen Prophezeiung Jes 61,1f. vorlag. Wer wollte dies einzig und allein durch das Wort οἱ πτωχοί (die Armen) als erwiesen ansehen?"[4]

---

1 Makarismen 59 (Lit.); vgl. noch Hoffmann, Studien 34f.
2 Vgl. z.B. Schürmann, Lk 326.328.336; Hoffmann/Eid, Jesus von Nazareth 34f.; Hoffmann, Studien 34; Schottroff/Stegemann, Jesus von Nazareth 31; neuestens wieder Merklein, Jesu Botschaft 46-48.
3 Makarismen 261 A. 7.
4 Makarismen 60; übernommen von Hasenfratz, Die Rede von der Auferstehung 227, der dann aber auch vorsichtig Vorbehalte gegen einen Einfluß von Jes 61 auf die weitere Entwicklung der Makarismen anmeldet, wenn er schreibt: „Bei der späteren Ausgestaltung und Erweiterung der Makarismen mag die Prophetenstelle eingewirkt haben". — Wenn ich richtig sehe, fällt das Urteil Schürmanns zu der Abhängigkeit von Jes 61,1f. in seiner neuesten Äußerung zum Thema (Gottes Reich 85ff.) etwas vorsichtiger als früher (vgl. bes. 86 oben) aus. Für Abhängigkeit von Lk 6,20f. von Jes 61,1f. tritt auch Dautzenberg, Der Wandel 29 ein.

Den von Frankemölle vorgetragenen Einwänden ist m.E. voll Rechnung zu tragen. Die Frage, ob Jesus sich im Sinne des endzeitlichen Freudenboten des Propheten Trito-Jesaja verstand,[5] ist von der Frage, ob dieser Text die Makarismen auf ihrer ältesten Traditionsstufe beeinflußt hat, deutlich zu trennen. Angesichts der Tatsache, daß sich weder die Form des Makarismus noch mehrere Einzelelemente der ältesten Makarismen auf Jes 61 zurückführen lassen, ist eine Bezugnahme auf diesen Text — womöglich sogar als „le texte de base"[6] — kaum zu rechtfertigen. Ist der Blick hierdurch erst einmal geschärft, so erscheint auch die Abhängigkeit der matthäischen Makarismenreihe von diesem Text in einem anderen Licht. Zwar dürfte es keinem Zweifel unterliegen, daß Mt 5,4 von Jes 61,2 abhängig ist — in Jes 61,2 sind alle Elemente von Mt 5,4 bis auf das des Makarismus vorhanden und Mt 5,4 verwendet dieselben griechischen Wörter wie die LXX in Jes 61,2 —, aber über Mt 5,4 hinaus sind in der matthäischen Makarismenreihe keine zusätzlichen Elemente zu finden, die auf Jes 61 hinweisen. Allerdings wird in der Literatur genau das Gegenteil behauptet.[7] So wird die Hinzufügung von τῷ πνεύματι (im Geist) in Mt 5,3 auf das in Jes 61,1 zugrundeliegende hebräische Äquivalent Anawim zurückgeführt[8], τῇ καρδίᾳ (im Herzen) in Mt 5,8 wird ebenfalls auf Jes 61,1 und κληθήσονται (sie werden genannt werden) in Mt 5,9 auf Jes 61,3 zurückgeführt.[9]

Aber gerade die Unterschiede in der Rückführung müssen hier doch stutzig machen. Beruht z.B. nach Guelich die Zufügung von 'im Geist' zu Mt 5,3 allein auf dem zugrundeliegenden hebräischen Äquivalent (Anawim), so nimmt Schürmann hier einen Einfluß von Jes 61,3 an[10], wo in LXX im Gegensatz zu Jes 61,1 in der

---

5 Wobei das Judentum diese Figur mit sehr unterschiedlichen eschatologischen Konzeptionen in Zusammenhang bringen konnte — vgl. Hoffmann, Studien 204f. (Lit.).

6 So Dupont II 92.

7 Vgl. z.B. Guelich, Sermon 74: „The common denominator in the differences found in these three Beatitudes lies in Isaiah's prophecy, in particular Isaiah 61 . . ." (Lit.). Darüber hinaus vgl. a. Gundry, The Use 70f.

8 Vgl. Guelich, Sermon 74.

9 Vgl. die Liste bei Schürmann, Lk 336 A. 84; andere Rückführung auf alttestamentliche Belege bei Grimm, Die Verkündigung Jesu 69 A. 125. Vgl. zu letzterem die kritische Bemerkung von Merklein, Jesu Botschaft 48 A. 35.

10 Guelich, Sermon 74; Schürmann, Lk 336 A. 84. Neuerdings tritt Merklein, Jesu Botschaft 48 A. 36 wieder für eine Abhängigkeit schon der Jesusstufe der Seligpreisungen von Jes 61 ein und erklärt die matthäische Formulierung von 'den Armen im Geiste' „aus der Kombination von Jes 61,1 und 66,2", wobei er sich dafür auf seine Ausführungen über die Armenfrömmigkeit in Qumran beruft, bei denen er sich auf den Exkurs über die Armenfrömmigkeit bei Maier stützt. Unbeschadet unserer Vorbehalte sei hier nur darauf hingewiesen, daß auch Maier in seinem Kommentar zu den Qumran-Texten die Formulierung von den 'Armen im Geiste' in 1 QM 14,7 (nicht: 9) und Mt 5,3 gerade nicht auf eine Kombination von Jes 61,1 und 66,2, sondern allein auf die zuletztgenannte Stelle auf dem Hintergrund der Armenfrömmigkeit des Trito-Jesaja zurückführt.

Tat das Stichwort 'Geist' begegnet — aber wie stark muß eigentlich ein „Anklang" sein, um eine Beeinflussung annehmen zu können? In Jes 61,3 LXX heißt es: 'zu geben den Trauernden in Zion eine Haltung der Herrlichkeit statt eines trübseligen Geistes'. Ist Mt von diesem Gedankengut in den Makarismen beeinflußt? Ist Beeinflussung schon da vorhanden, wo mehrere gleiche Worte vorkommen?[11] Der Schwierigkeiten, die eine Rückführung des Mt-Textes auf Jes 61 bereitet, voll bewußt ist sich Dupont, wenn er im Verlaufe seiner Erörterungen schreibt: „Les indices de cette dépendance ne seraient pas probants si on les prenait isolément; c'est dans leur convergence qu'ils ont tout leur poids."[12]

Dann freilich erwägt er für das Fehlen des in Jes 61,1 vorhandenen Verkündigungselementes $\epsilon\dot{v}a\gamma\gamma\epsilon\lambda\dot{\iota}\zeta o\mu a\iota$ in Mt 5,3: „On peut noter cependant que la note joyeuse du verbe est présente dans l'exclamation 'Heureux!', et surtout que la mention de la $\beta a\sigma\iota\lambda\epsilon\dot{\iota}a$ utilise précisément le terme qui fait l'objet de la 'bonne nouvelle' dans les oracles de consolation du Livre d'Isaïe: le 'Royaume' que Jésus promet aux pauvres correspond au 'Règne' de Yahweh dont le prophète 'annonce la bonne nouvelle'. . . . Les résonances des termes employés permettent de se rendre compte que la formulation de la première béatitude est plus proche de celle d'Is 61,1 qu'il pourrait paraître à première vue."[13]

Ist schon hier die Gewundenheit der Beweisführung ein Argument gegen den Beweis, so mißlingt der Beweis in meinen Augen völlig hinsichtlich der Seligpreisung der Hungernden: „La liste d'Is 61,1-3 nous a fourni les pauvres et les affligés; nous cherchons encore les affamés. Ils ne sont pas loin de la promesse qu'on trouve dans les lignes suivantes: 'Vous serez appelés les prêtres de Yahweh, on vous nommera les ministres de notre Dieu. Vous mangerez (. . .) les richesses des nations . . . Dans leur pays, ils hériteront du double, une joie éternelle leur arrivera' (61,6-7). Il peut sembler normal qu'une promesse de 'manger' s'adresse à des gens qui ont faim."[14]

Diese Verheißung des Jesaja hat weniger die Stillung von Hunger im Blick, es geht ihr eher um eine Schilderung des Überflusses, der die künftige Erlösung kennzeichnen wird. Darüber hinaus wird auch zu berücksichtigen sein, daß in der ältesten Fassung der Makarismen sowohl der Hunger wie die Sättigung noch keineswegs im übertragenen Sinne verstanden worden sind, wie es in Jes 61,7 und Mt 5,6 der Fall ist, so daß sich die Nennung der Hungernden in der ältesten Tradition

---

11 Die Annahme, der Zusatz in Mt 5,3 verdanke seine Existenz Jes 61,3 wird freilich noch übertroffen von der Behauptung, „Vorbild dieser Makarismen-Reihe ist nach Form und Gehalt Jes 56,1-2", so Grimm, Die Verkündigung Jesu 69 A. 125 — bei den dann angegebenen Stellen des Alten Testaments, die im einzelnen in den Makarismen anklingen sollen, taucht Jes 56 kein einziges Mal auf. Die Ähnlichkeit von Jes 56,1-2 mit Mt 5,3ff. beschränkt sich im wesentlichen auf die Form des Makarismus — warum nennt Grimm dann aber nicht gleich die alttestamentlichen Belege, an denen der Makarismus nicht nur einfach, sondern verdoppelt vorliegt?

12 II 96.

13 II 96f.

14 II 94.

der Makarismen kaum Jes 61,7 verdanken dürfte. Man könnte allenfalls erwägen, daß Mt sich anläßlich der Einfügung von 5,4 auch von dem weiteren Kontext von Jes 61 hat beeinflussen lassen — aber diese Erwägung wäre doch nur gestattet, wenn sich in Mt 5,6 *eindeutige* Anklänge an Jes 61,7 feststellen ließen, was aber nicht der Fall ist. Die matthäischen Zusätze 'und die dürsten nach Gerechtigkeit' haben in der genannten Jes-Stelle keine Parallele.

Ist so eine Bezugnahme des *ursprünglichen* Makarismus-Textes auf Jes 61,1 kaum wahrscheinlich, so ist zu fragen, ob *Mt* seine Seligpreisungen in Bezug auf Jes 61 gesehen hat. Dabei ist die Hauptfrage angesichts der Tatsache, daß Mt 5,4 eindeutig Jes 61,2 zitiert, ob Mt diesem Text über Mt 5,4 hinaus weiteren Einfluß gewährt hat — so wie wir soeben die Frage für Mt 5,6 gestellt haben. Nur für den Fall, daß in den bei Mt zusätzlich vorhandenen Elementen ein Einfluß von Jes 61 feststellbar wäre, könnte eine solche Annahme ja gerechtfertigt sein. Hierzu wird häufig auf 'sie werden die Erde/das Land erben' in Jes 61,7 verwiesen.[15] Da aber in Ps 37,11 (LXX 36,11) eine Vorlage erkennbar ist, die außer der Verheißung in Mt 5,5 auch noch die Adressaten dieses Makarismus erklärt, ist eine Anlehnung an Jes 61,7 weniger wahrscheinlich. Das gleiche gilt, wenn für Mt 5,8 Jes 61,1 herangezogen wird: Solange in Ps 24,4 und 50,12 zwei Elemente von Mt 5,8, in Jes 61,1 aber nur eines begegnen, ist Jes 61,1 als Basistext weniger wahrscheinlich. Vor allem die Tatsache, daß Mt in 5,5 Ps 37,11 zitiert, spricht m.E. dafür (wenn man Mt 5,4 mit seiner Anlehnung an Jes 61,2 dazu nimmt), daß Mt bzw. der Verfasser der Makarismen des matthäischen Sondergutes weniger *einen* Text als Basistext wählt, sondern sich an viele Belegstellen angelehnt hat. Eine Beeinflussung oder Anlehnung der gesamten Makarismenreihe bei Mt an Jes 61 ist somit zu verneinen, der Einfluß von Jes 61 beschränkt sich auf Mt 5,4.[16]

---

15 Vgl. Schürmann, Lk 336 A. 84.
16 Flusser, Blessed 3ff. nimmt eine Affinität zwischen Mt 5,3-5 und 1 QH 18, 14 an. Letztere Passage stütze sich ebenso wie Mt 5,3-5 auf Jes 61,1f.; 66,2 — auch hier gilt neben anderen der Einwand: Da Mt 5,5 auf Ps 36,11 LXX basiert, ist eine doppelte Vermittlung unwahrscheinlich und auch unnötig.

5. KAPITEL

Voraussetzungen für eine Interpretation der Seligpreisungen

Bei der Interpretation der Seligpreisungen macht nicht nur die genaue inhaltliche Bestimmung derjenigen, die selig gepriesen werden, Probleme, sondern auch die angemessene Interpretation der matthäischen Makarismen überhaupt. Im Vordergrund der Interpretation der matthäischen Seligpreisungen muß hier noch einmal die Frage stehen, ob denn nicht *wenigstens für Mt von einer durchgängig ethischen Sicht der Makarismen auszugehen* ist. Da beide Fragen zusammenhängen, können sie hier auch zusammen behandelt werden. Es versteht sich dabei von selbst, daß nur die umstrittenen Seligpreisungen behandelt zu werden brauchen.

5.1 Die Seliggepriesenen

5.1.1 Mt 5,3 *,,Wohl denen, die arm sind und es wissen. Ihnen gehört das Reich der Himmel.'' (W. Jens)*

Dem erfahrenen Bibelleser wird die gewählte Übersetzung nicht gerade vertraut sein, aber der von einer solchen ungewohnten Übersetzung ausgehende Verfremdungseffekt kann geeignet sein, den Leser und Hörer stutzig zu machen und über die Bedeutung des Ausgesagten neu und vertieft nachdenken zu lassen. Nur muß eine solche, den gewohnten Text verfremdende Übersetzung im Gefälle des Textes liegen und wirklich zu einem vertieften Verständnis *des Textes* hinführen. Ob das bei dieser Übersetzung der Fall ist, ist durch eine Untersuchung der Frage, wer mit den 'Armen im Geiste' gemeint ist, zu klären. – Freilich, so ungewohnt wie diese Übersetzung auf den ersten Blick erscheint, ist sie doch wohl nicht, denn immerhin übersetzt die New English Bible von 1961: ,,How blest are those who know that they are poor . . .'' Darüber hinaus gibt es auch eine ganze Reihe von Autoren, die die 'Armen im Geiste' als 'Arme im Willen, Arme mit innerer Zustimmung, freiwillig Arme' verstehen wollen[1], und Kähler stellt in seiner schon häufig herangezogenen Dissertation fest, daß der in der Hinzufügung von 'im Geist' zum Ausdruck kommende ,,'Moment der Bewußtheit' zumeist auch nicht mehr bestritten'' wird, was aber kaum zutrifft.[2]

---

1 Vgl. Schelkle, Die Gemeinde von Qumran 44; Kandler, Die Bedeutung 200.
2 Kähler, Diss. 179; anders Keck, The Poor II 71f.; Wrege, Überlieferungsgeschichte 7; Légasse, Les Pauvres 336ff. Hoyt, The Poor/Rich Theme 38 betont die Schwierigkeit der Interpretation der 'Armen (im Geiste)' der ersten Seligpreisung. Vgl. auch noch Gundry, The Use 69f.

Nun hat diese Übersetzung und die dahinterstehende Interpretation sicher den einen Vorteil, daß sie eindeutig verstehbar ist — aber trifft sie den Sinn des von Mt Gemeinten? Bei der Interpretation des hier zur Diskussion stehenden Halbsatzes wird die Bedeutung von literarkritischen Urteilen für die Interpretation von Texten unmittelbar deutlich. Denn wenn 'im Geist' in Mt 5,3 als Zusatz zu beurteilen ist, der erst von Mt eingefügt wurde, dann ist der Ausdruck 'Arme im Geist' evtl. griechisch konzipiert und auf der Basis griechischen Denkens zu interpretieren.[3] Die Tatsache, daß es in der Bibel des Alten Testaments sinnverwandte Parallelen und in Qumran sogar eine, wenn nicht zwei genaue Parallelstellen gibt, ist dann „von nebensächlicher Bedeutung".[4]

5.1.1.1 Die Armen 'im Geist' als matthäische Formulierung

Schon in den sechziger Jahren hat Keck festgehalten, daß 'im Geist' von den Exegeten fast allgemein als eine sekundäre Formulierung angesehen wird, für die der Evangelist Mt verantwortlich ist.[5] Nach Strecker ist durch diesen Zusatz „eine grundlegende Änderung der vorredaktionellen Überlieferung eingetreten. Der ursprünglich wörtlich verstandene Begriff 'Armut' ist spiritualisierend und d.h. hier: ethisierend gedeutet." „Gemeint sind die Menschen, die sich für niedrig halten, die demütig sind."[6] Daneben finden sich viele andere Deutungen — Dupont hat die Leidensgeschichte der Interpretation sorgfältig nachgezeichnet.[7]

Daß Lk den Begriff 'arm' im sozialen Sinn verstanden hat, unterliegt zwar trotz des Weherufes gegen die Reichen gelegentlich Bedenken, ist aber gleichwohl gerade wegen des der 1. Seligpreisung antithetisch gegenübergestellten 1. Weherufes kaum zweifelhaft. — Nach den bislang angestellten Überlegungen, die gezeigt haben, daß die Seligpreisungen schon vor Mt einer Erweiterung unterzogen worden sind, die zum Teil ganz stark von LXX-Einfluß geprägt ist, ist es sehr unwahr-

---

3   Noch weiter geht in dieser Richtung Kähler, Diss. 178.

4   So Frankemölle, Makarismen 70; ähnlich Kähler, Diss. 178.

5   The Poor I 112f. — Ausnahmen nennt Keck 113 A. 43; weitere Literatur bei Soiron, Bergpredigt 141; vgl. auch noch Wrege, Überlieferungsgeschichte 7. Neustens findet sich diese Ansicht wieder bei Meier, Matthew 40.

6   Makarismen 262. Genau gegenteilige Ansicht in ThWNT VI 398, 24ff.: „Das Neue gegenüber den jüdischen Parallelen besteht aber darin, daß nicht zu solcher Haltung als zu einer vom Menschen zu leistenden Tugend aufgefordert wird, sondern daß diejenigen gepriesen werden, denen sie gegeben ist". — Vgl. neuestens Strecker, Bergpredigt 33. Die dort festgehaltene Konfrontation der 'Armen im Geist' gegen die hohe „Selbsteinschätzung der Pharisäer und Schriftgelehrten" dürfte schon an dem Umstand scheitern, daß sich die gewiß nicht gering einschätzenden Mitglieder der essenischen Qumrangruppe als 'Arme' und 'Arme im Geist' usw. bezeichnet haben. Die Selbstbezeichnung 'Arme im Geist' und hohe Selbsteinschätzung können also durchaus parallel laufen. Vgl. dazu auch ebd. 34 A. 27, wo Strecker die Parallelität von 'Arme im Geist' und 'Leute, die vollkommenen Wandels sind', in 1 QM 14,7 selbst herausstellte.

7   III 450ff.; vgl. auch Soiron, Bergpredigt 145f.

scheinlich, daß der Zusatz 'im Geist' auf dieser Ebene hinzugefügt worden ist, da sich zwar ähnliche Formulierungen in der LXX finden[8], die Wendung selbst aber dort nicht belegt ist. Daß Mt selbst den Zusatz 'im Geist' hinzugesetzt hat, ist angesichts der Tatsache, daß er in 11,5 nur von den 'Armen' redet, ebenfalls wenig wahrscheinlich. Mt dürfte auch deswegen kaum für diese Einfügung in Frage kommen, weil die Wendung 'arm im Geist' keine Bedeutung erkennen läßt, die innerhalb eines jüdischen Kontextes nicht auch dem Wort 'arm' zu entnehmen wäre.[9] Das dürfte sich schon aus dem Nebeneinander von 'arm' und 'arm im Geist' als Selbstbezeichnung der Qumran-Gemeinde ergeben.[10] Es wäre also m.E. zu fragen, ob die matthäische Formulierung nicht eher als Übersetzungsvariante in einer zweisprachigen Gemeinde entstanden als von Mt eingefügt worden ist.[11] Aber es ist zuzugeben, daß auch der Evangelist, um das ursprüngliche Verständnis von 'arm' in einer griechisch-sprachigen und mit diesem Wort ganz andere Assoziationen verbindenden Umgebung sicherzustellen, die Verdeutlichung eingefügt haben kann. Zwar spricht, wie dargelegt, die Übernahme des nicht näher erläuterten Terminus 'arm' in 11,5 gerade gegen eine solche Annahme, gleichwohl muß aus zwei Gründen dennoch mit der *Möglichkeit* der Einfügung durch den Evangelisten gerechnet werden:

1. Die Übernahme des Terminus 'Gottesherrschaft' an vier Stellen des Mt-Evangeliums statt des sonst von Mt gebrauchten Ausdrucks 'Himmelsherrschaft' zeigt, daß Mt sklavische Konsequenz in solchen Dingen nicht eigen ist.[12]
2. Mt könnte sich auch wegen des alttestamentlichen Zitates in 11,5 einen Zusatz, daß er unter 'Armen' 'Arme im Geist' versteht, versagt haben.[13] Da aber die

---

8 Vgl. nur Ps 33,19 LXX; Jes 66,2; 57,15.
9 So zu Recht Davies, Sermon 251 und A. 2; Keck, The Poor I 113f.; Légasse Les Pauvres 344f.
10 Die Belege sind zusammengefaßt in ThWNT VI 896ff., vgl. auch noch Keck, The Poor II und vor allem Dupont, Fs Schmid (zu der Behauptung, 'arm im Geist' habe schon ein Äquivalent in äHen vgl. Légasse, Les Pauvres 337).
11 Zur Begründung, warum Lk 'im Geist' kaum unterdrückt haben dürfte, 'im Geist' also nicht auf Q$^{Mt u. Lk}$ zurückgeht, vgl. Légasse, Les Pauvres 344 A. 6; Dupont I 212ff.; vgl. jetzt auch Kieffer, Weisheit und Segen 36, der wieder mit der Möglichkeit rechnen will, daß die Formulierung 'Arme im Geist' von Jesus stammt.
12 Gegen Kretzer, Herrschaft, der 167ff. eine Differenzierung zwischen Gottesherrschaft und Himmelsherrschaft versucht, die aber angesichts Mt 19,23 f. doch wohl zum Scheitern verurteilt ist.
13 Obwohl das, *wenn* Mt sich über das Verhältnis von Mt 2,6 zu Mich 5,1 im klaren war, wenig wahrscheinlich ist. Vgl. immerhin Rothfuchs, Erfüllungszitate 92f., „daß Mt seine Erfüllungszitate in ihrem alttestamentlichen Kontext nachgelesen und nach diesem Kontext auch bearbeitet hat" (93). Es ist hier im übrigen zu beachten, wie nahe die Aussage Mt 11,5 in der Literatur an die von Mt 5,3 herangeführt wird: Wenn nämlich jenes 'den Armen wird die Frohbotschaft verkündet' „die für die „Erniedrigten und Beleidigten", die πτωχοὶ τῷ πνεύματι, heilvolle Verheißung der für sie eröffneten und nahenden Gottesherrschaft" meint, und wenn gilt: „εὐαγγελίζεσθαι bezeichnet Mt 11,5 (par. Lk 7,22) die dem Propheten der Endzeit verliehene verhei-

70

Begriffe 'arm' und 'arm im Geist' im Judentum zur Zeit Jesu synonym gebraucht werden konnten[14], dürfte nach meinem Urteil nur eine Alternative möglich sein: Entweder ist 'arm im Geist' als Übersetzungsvariante zu beurteilen oder aber als griechisch gedachte Formulierung (dann doch wohl des Evangelisten Mt) zu verstehen, wobei angesichts des semitischen Charakters der Formulierung[15] die erste Alternative eindeutig vorzuziehen ist.

5.1.1.2 Die 'Armen' und die 'Armen im Geist' in den Seligpreisungen der Bergpredigt/Feldrede

Während die lukanischen Armen in der Regel als Arme im sozialen Sinne verstanden werden (s.o.), eine Spitze gegen den Reichtum als solchen aber unter Hinweis auf die 2. Person bei Lk geleugnet wird[16], wird der von Mt gebrauchte Terminus 'arm im Geist' in der Regel im Sinne von 'demütig' interpretiert[17], wobei sofort die Schwierigkeit entsteht, wie dann das Subjekt von Mt 5,3 von dem von 5,5 abgehoben werden kann. Für die Jesusstufe hat Hoffmann zwar einen Bezug zur alttestamentlich-jüdischen Tradition zugestanden, aber Jesus gibt nach Hoffmann „den traditionellen Begriffen" wieder einen konkreten Bezug. „Aufgrund des

---

ßungsvolle Ansage des kommenden Gottes und der heilvollen Macht seiner Herrschaft . . . Indem die πτωχοί sich jener verheißungsvollen Botschaft glaubend erschließen, gewinnen sie bereits in der Gegenwart Anteil an der befreienden Segensmacht der βασιλεία Gottes." (Stuhlmacher, Evangelium 222), dann liegt in Mt 11,5 eine der 1. Seligpreisung auffällig ähnliche Aussage vor und es wäre doch sehr verwunderlich, wenn Mt — wie Strecker und andere wollen — in 5,3 „eine grundlegende Änderung der vorredaktionellen Überlieferung" (so Strecker, Makarismen 262) vorgenommen, in Mt 11,5 aber eine der vorredaktionellen Aussage von Mt 5,3 sehr ähnliche Aussage unverändert nur mit der Bezeichnung 'die Armen' übernommen hätte.

14 Vgl. dazu auch ThWNT VI 904 A. 175; Best, Mt V,3 256 A. 4. — Das zeigt sich im übrigen auch daran, daß die lukanischen 'Armen' sich in vielen Interpretationen kaum oder gar nicht von den matthäischen 'Armen im Geist' unterscheiden, vgl. z.B. Ernst, Lk 217 f.; Flusser, Blessed 6: „Our interpretation understands the 'poor' in the term πτωχοὶ τῷ πνεύματι . . . in the original *social* sense; this was already the opinion of Luke (6,20)" (Sperrung I.B.). Vgl. auch noch die Identifizierung von Anawim und 'Arme im Geist' bei Böhl, Demut 217ff. — Zwei schöne Belege für das Weiterleben der jüdischen Armenfrömmigkeit im Christentum finden sich in der aus dem 2. Jh. stammenden Epistula Apostolorum 38 (49) und 46 (57).

15 Vgl. Keck, The Poor I 113 A. 45; Best, Mt V,3 256; Dupont, Fs Schmid 64.

16 Vgl. Schürmann, Lk z. St.; Schneider, Lk z.St.

17 Vgl. stellvertretend für viele ThWNT VI 398f. Erstaunlich Stegemann, Evangelium 9, der einerseits feststellt: „Besonders umstritten ist ja die Seligpreisung der 'Armen im Geiste' (. . .) in Mt 5,3", dann aber fortfährt: „offensichtlich ist hier nicht an materielle Armut gedacht . . .". Vgl. neuestens wieder Strecker, Bergpredigt 33.

vorauszusetzenden Zusammenhangs dieser Rede mit seinem sonstigen Wirken, seinem Eintreten für Sünder und Zöllner, Deklassierte und religiös Verachtete, für Kranke und von Dämonen Besessene, für Frauen und Kinder ... wird nämlich deutlich, daß Armsein, Hunger und Trauer von ihm real gemeint sind".[18] Für die Zusammenstellung der Seligpreisungen, wie sie Mt und Lk vorausliegt, empfiehlt sich ein solches Verständnis in der Tat schon aufgrund der Zusammenstellung der Armen mit den Hungernden und Weinenden. Wenn man zu Recht eine ursprünglich aramäische Fassung dieser drei Makarismen voraussetzen kann, was hier nicht erörtert werden soll, so ist ein solches Verständnis des zugrundeliegenden Begriffes für 'arm' durchaus möglich, da nach dem gegenwärtigen Stand der Forschung der frühjüdische Armutsbegriff nicht vorschnell spiritualisiert werden darf: „der Ausdruck 'arm' dürfte seine materielle und soziologische Bedeutung auch nach dem Exil bewahrt haben; der religiös-ethische Nebensinn bildet eine sekundäre Komponente, deren Gewicht von Fall zu Fall im Hinblick auf den Kontext zu bemessen ist".[19] Dieser ursprüngliche Sinn ist bei Lk noch erhalten, wie die Zusammenstellung mit den Hungernden und Weinenden einerseits und die Gegenüberstellung mit den Reichen, Satten und Lachenden andererseits zeigt, wenn auch schon durch die 2. Person eingeschränkt und durch das Nebeneinander von Seligpreisungen und Wehe im Sinne einer zweitrangigen – der Charakter einer Seligpreisung und eines Weherufes darf nicht einfach übersprungen werden – Ethisierung verkürzt.

Im Hinblick auf die 'Armen im Geist' in Mt 5,3 scheinen folgende Bemerkungen angebracht:

1. Die Frage, ob in einem zugrundeliegenden hebräischen/aramäischen Text an 'ani' oder an 'anaw' zu denken ist[20], ist nicht von großer Bedeutung, da das Übersetzungsergebnis gleich oder weitgehend gleich ist[21] und man heute im Gegensatz zu früher ohnehin dahin tendiert, „die beiden Ausdrücke einander anzugleichen und in anaw eine Dialektvariante oder vielleicht eine späte aramaisierende Nebenform zu ani zu sehen".[22]

2. Die Bedeutung und Interpretation der für 'arm' im Alten Testament gebrauchten Begriffe ist umfassend zu erheben; dabei ergibt sich, daß in den Psalmen der Charakter der Zuflucht zu Jahwe und der Gegensatz zu den Feinden/Gott-

---

18 Hoffmann/Eid, Jesus von Nazareth 32; vgl. auch Schottroff/Stegemann, Jesus von Nazareth 31ff.; Dupont II 49.
19 THAT II 343.344f., allerdings auch 350. Vgl. auch Kuschke, Arm 50ff.; ThWNT VI 894, 30ff.
20 Vgl. dazu Dupont, Fs Schmid 54ff.
21 Vgl. ebd. 54 und die Zustimmung: „Pour le fond, la différence n'est pas bien grande".
22 Vgl. THAT II 343; vgl. auch die Tatsache, daß z.B. in den späten Psalmen die Zusammenhänge, in denen ani und anaw begegnen, austauschbar sind, so ThWNT VI 892, 25 ff.; anders z.B. Percy, Botschaft Jesu 62.

losen im Vordergrund steht,[23] vgl. nur Ps 37; 9; 10 usw.; gleichzeitig spiegeln die Psalmen aber auch die Erfahrung der Hilfe dieser bei Jahwe Zuflucht suchenden 'Armen' wider, so daß diese 'Armen' als die von Jahwe Privilegierten erscheinen. Jedoch ist auch die sogenannte sozio-ökonomische Dimension nicht ganz vergessen, wie das antithetische Nebeneinander vom Wenigen des Gerechten und dem großen Reichtum der Gottlosen zeigt. Überhaupt vermag Ps 37 sowohl die religiöse als auch die sozio-ökonomische Dimension des Armenbegriffs des Psalters zu zeigen: „Das Schwert ziehen die Gottlosen und spannen ihren Bogen, um zu fällen den Armen und Schwachen, zu ermorden, die aufrichtig wandeln. ... Besser das Wenige des Gerechten als 'großer' Reichtum der Gottlosen." (Ps 37,14.16 in der Übersetzung von Kraus, vgl. auch 37, 21 mit seiner Umkehrung der gegenwärtigen Verhältnisse und 34,18). Daß dieser Psalm zur sogenannten Lehrdichtung gehört, die von der Weisheit beeinflußt ist, weist schon darauf hin, daß die sozio-ökonomische Dimension des Armenbegriffs dort besonders ausgeprägt ist, wenn dort auch freilich der Arme gelegentlich in ganz anderem Lichte erscheint[24] — allerdings ist an zahlreichen Stellen, z.B. in Spr nicht vom ani die Rede. Aber an einigen Stellen (z.B. Spr 30,14; 31,9) wird auch dieser Terminus gebraucht.

3. In Qumran begegnen die Ausdrücke aniim und anawim sowohl separat als auch in zahlreichen Verbindungen, die zum Teil aus dem Alten Testament übernommen sind. In 1 QM 14,7, wo von den 'Armen im Geiste' die Rede ist, ist Dupont zuzustimmen: „Les deux dernières lignes de notre citation (sc. 1 QM 14,7 b.c) n'insistent pas tant sur la faiblesse que sur la sainteté". „Formant antithèse avec 'le cœur endurci', les 'nwj rwḥ apparaissent comme des gens dociles à Dieu, soucieux d'observer sa Loi. Le parallélisme avec les 'parfaits de voie' suggère la même note: il s'agit d'hommes 'pieux et soumis à la Loi divine'."[25] Der Kontext von 1 QM 14 weist so auf ein sehr ähnliches Verständnis des Begriffs der 'Armen im Geiste' wie in Ps 37 hin.[26] Kraus spricht bei seiner Erklärung des Abschnittes Ps 37,12-20 zu Recht nur von dem Gerechten — die Frage aber bleibt, ob das Moment der Armut aus dem Begriff des 'Armen im Geist' nun völlig eliminiert ist oder ob es doch noch mitschwingt. Gerade hier kann das von der Hermeneutik erkannte Vorurteil des Interpreten den Blick verstellen, aber ebenso, wenn er sich dieses bewußt macht, ihm den Blick auch öffnen.

---

23 Vgl. Mowinckel, Psalmenstudien V 115ff.
24 Vgl. etwa Spr 21,17; 23,21.
25 Fs Schmid 57, vgl. auch 58.
26 Vgl. auch 1 QH 5,21f., wo die 'Armen' mit 'denen, die Gerechtigkeit fürchten' (Übersetzung von Lohse), 'die bestürzt sind der Gerechtigkeit halben' (Übersetzung von Maier) im synonymen Parallelismus stehen. Vgl. darüber hinaus auch CD 19,9, wonach 'die Armen der Herde' gerettet werden zur Zeit der Heimsuchung — das Gericht aber über diejenigen ergeht, 'die in seinen Bund eingetreten sind, aber nicht an diesen Gesetzen festhalten . . .' (19,14; vgl. auch 19,16f. und darüber hinaus 1 QS 3,8 und 1 QH 14,3).

Jedoch sollte man die Einzelstelle für den Gesamtsinn des Evangeliums nicht zu stark belasten. Daß Jesus und die Botschaft des Neuen Testaments gegenüber dem Reichtum starke Vorbehalte haben, haben wir für die Jesusebene schon gesehen und versteht sich für das Neue Testament quasi von selbst, und daß dieser Reichtum — wenn man die westliche Welt unter dieser Perspektive sieht — nicht einfach von Norden nach Süden übertragen werden kann, ohne daß in wenigen Jahren nichts oder fast nichts mehr zu übertragen ist, dürfte ebenfalls klar sein — nur darf man damit nicht das Interesse der christlichen Botschaft an den Armen einfach unterlaufen. An dieser Stelle unserer Überlegungen ging es nur darum klarzumachen, daß die Sorge für die Armen und der „Kampf" gegen die Armut im Neuen Testament so klar belegt sind (Lk 6,24; Mk 10,25), daß die eventuelle Feststellung, in Mt 5,3 enthalte der Begriff 'arm im Geist' keine soziale Konnotation, die Botschaft des Evangeliums als „Botschaft für die kleinen Leute" nicht tangiert. Damit ist hermeneutisch ein gewisser Freiraum für Mt 5,3 und die dort genannten Armen geschaffen. — Daß ani in den Texten von Qumran auch sozio-ökonomische Bedeutung tragen kann, ergibt sich aus CD 6, 16.21; 14,14, wo der ani, wie häufig im Alten Testament, mit den in Israel lebenden Menschen zusammengestellt ist, die nicht die vollen Rechte haben.[27] Wenn der Bedeutungsunterschied zwischen ani und anaw nur „angeblich" wäre,[28] so müßte auch bei anaw die sozio-ökonomische Bedeutung mit veranschlagt werden.[29] Und da 'arm' und 'arm im Geist' in Qumran als Selbstbezeichnung der Qumran-Leute promiscue gebraucht werden, dürfte dann diese Konnotation auch den 'Armen im Geist' eigen sein, was für die 'Armen im Geiste' des Mt entsprechende Konsequenzen hätte.

Wir hätten dann in der 1. Seligpreisung den Fall, daß diejenigen, die auf Jahwe vertrauen, die in Jahwe allein ihre Zuflucht suchen, also im Prinzip die Gerechten, seliggepriesen werden, daß aber der gewählte Begriff auch noch durchscheinen läßt, daß diese Menschen unter den Armen und nicht unter den Reichen zu finden sind. D.h., die von Mt in 5,3 seliggepriesenen Menschen sind die Anawim der alttestamentlich-jüdischen Tradition, die, wie wir gesehen haben, beide Elemente, sowohl das religiöse als auch das sozio-ökonomische, enthält. Eine solche Interpretation könnte sich zudem auch noch darauf berufen, daß die Änderung von 'arm' zu 'arm im Geist' zwar semitisch gedacht, aber in griechischer Sprache ausgeführt ist und der gewählte — von der Tradition vorgegebene — griechische Ausdruck für arm „die völlige Mittellosigkeit" ausdrückt,

---

27 Belege in THAT II 344.
28 So Kuschke, Arm 52 A. 3 unter Berufung auf Birkeland.
29 Anders ausdrücklich Dupont, Fs Schmid 59.

„die den Armen zwingt, bittweise fremde Hilfe in Anspruch zu nehmen."[30] Insofern kann der Ausdruck 'die Armen' in Mt 5,3 nicht unkommentiert bleiben, wenn er nicht auf die sozio-ökonomische Dimension verkürzt werden soll.

5.1.2 Mt 5,4 „Wohl denen, die Leiden erfahren. Trost ist ihnen gewiß." (W. Jens)

Das Zustandekommen dieses sachlich aus Jes 61,2 stammenden Makarismus hat man sich so vorzustellen, daß das wohl ursprünglichere Motiv[31] des Weinens die Assoziation an Jes 61,2 ausgelöst hat — vielleicht durchaus auch mitveranlaßt durch die vorangehende Seligpreisung der Armen, obwohl diese einen Zusammenhang mit Jes 61,1ff. (bis auf das Motiv der Armen) gerade nicht erkennen läßt[32] —, was zu einer Ersetzung des Motivs des Weinens durch den Inhalt von Jes 61,2 geführt hat.[33] Da dieser Vorgang im Zusammenhang mit der Einfügung von Mt 5,5.7 und wohl auch der übrigen über Lk hinausgehenden Seligpreisungen erfolgt sein dürfte, die auf einen im biblischen Denken stehenden Verfasser schließen lassen, könnte ein weiteres Motiv für diese Ersetzung in der negativen Besetzung des Wortes 'lachen' in der Bibel gelegen haben.[34]

Da der Ausdruck 'trauern' bei Mt nur noch in 9,15 vorkommt und insofern eine große Anzahl von Belegen, die eine matthäische Theologie der Trauer erheben ließen, nicht vorhanden ist, ist die Bedeutung des Trauermotivs aus drei Zusammenhängen zu erheben:

---

30 ThWNT VI 886f. — Es sei hier noch angemerkt, daß inzwischen auch Merklein von der in seiner Habilitationsschrift noch vertretenen sozio-ökonomischen Interpretation abgerückt ist und nunmehr eine Deutung vertritt, die die von ihm sogenannte theologische Tiefendimension der Seligpreisungen und die „sozial-ökonomische Wertigkeit der Begriffe" zusammenzudenken versucht (Jesu Botschaft 48f.).
Im sozio-ökonomischen Sinn versteht die 'Armen im Geiste' jetzt wieder Lambrecht, Ich aber sage euch 61: „Matthäus wollte den Ausdruck 'arm', den er in Q fand, genauer fassen und ging dabei wahrscheinlich vom griechischen ptochos mit der Bedeutung 'arm, bedürftig' (aus). Man sollte nicht zu schnell annehmen, daß Matthäus und seine Zuhörer die griechische Wendung im hebräischen Sinn verstehen."

31 So die meisten Ausleger, z.B. Schulz, Q 77; Giesen, Christliches Handeln 86 A. 40; Walter, Seligpreisungen 249; Schneider, Bergpredigt 31; anders ThWNT VI 42 A. 6; Strecker, Makarismen 263 A. 1; ders., Bergpredigt 35; Worden, Analysis 113.

32 Man sollte darin keineswegs eine Verlegenheitsauskunft sehen. Es ist etwas völlig anderes, durch einen Begriff an einen bekanntermaßen wichtigen Text erinnert zu werden, als daß der erinnerte Basistext als Muttertext für Mt 5,3 in Frage kommt.

33 Anders neuestens wieder Giesen, Christliches Handeln 86 A. 40.

34 Vgl. ThWNT I 656ff.

1. aus dem Kontext der übrigen Makarismen
2. aus den übrigen Stellen, an denen dieses Wort innerhalb des ersten Evangeliums begegnet (nur Mt 9,15)
3. aus Jes 61,2 und dessen Kontext

Dupont[35] hat bei den Interpretationen der Trauernden, die in der Literatur gegeben worden sind, drei Gruppen unterschieden:

1. Hier wird betont, daß der bei Mt vorliegende Text die Trauer zwar nicht spezifiziere, daß aber gleichwohl wegen des Kontextes ('arm im Geist', 'hungern und dürsten nach Gerechtigkeit') und der Anlehnung an Jes 61,1ff. eine moralische bzw. religiöse Note diesem Trauern eigen sein müsse. „Die Trauernden sind darum als solche zu verstehen, die ergebungsvoll ihr Schicksal in Gottes Hand legen."[36]
2. Eine andere, die gesamte Patristik beherrschende und bis heute häufig vertretene Ansicht interpretiert die Trauer als Bußtrauer, als Trauer über die eigene Sündigkeit.[37]
3. Schließlich wird die Trauer häufig auf den gegenwärtigen bösen Äon bezogen.[38]

Zu Beginn der Auseinandersetzung mit diesen Interpretationen ist zusammen mit einer Reihe von Autoren darauf hinzuweisen[39], daß weder Trauer noch Trost in dieser Seligpreisung näher spezifiziert sind, wobei zu fragen ist, ob diese Tatsache nicht von Bedeutung für die Interpretation sein muß. Einmal unterstellt, Mt sei als letzter Redaktor für die Einfügung von '(und dürsten) nach Gerechtigkeit' in 5,6 verantwortlich, so ist es ja immerhin auffällig, daß eine solche ethische oder religiöse Interpretation hier nicht durch eine entsprechende Hinzufügung sichergestellt wird.

Strecker hat sein Eintreten für die an zweiter Stelle genannte Lösung mit der Tatsache begründet, daß es eine Reihe von frühjüdischen Texten gibt, die die Trauer auf die eigenen Sünden beziehen, vor allem aber mit der einheitlichen matthäischen Bearbeitung des Kontextes.[40] Ist letztere strittig, so bleibt zunächst nur

---

35   III 547ff.
36   Schmid, Mt 79; vgl. Dupont III 547 (Lit.).
37   Vor allem Strecker, Makarismen 263; vgl. auch Meier, Matthew 40, der aber die dritte Meinung ebenfalls mit anführt.
38   Der bekannteste Autor mit dieser Meinung ist Bultmann, vgl. ThWNT VI 43, der aber Meinung 2. ausdrücklich mit einschließen will, obwohl sie ihm als einzige Interpretation zu eng ist. Bemerkenswert immerhin: „Andrerseits werden *natürlich* nicht Trauernde überhaupt selig gepriesen, sondern es versteht sich *von selbst*, daß diejenigen gemeint sind, die den leidvollen Aeon als solchen durchschauen und nicht wie die γελῶντες (die Lachenden) (Lk 6,25) seinen Lockungen verfallen." (Sperrung I.B.). Vgl. auch Bauer, Wörterbuch s.v.; Dupont III 554; Verbindung der Lösung 1. und 3. bei Balz in: EWNT III 163.
39   Vgl. z.B. Schneider, Bergpredigt 31.
40   Makarismen 263, vgl. auch ders., Bergpredigt 36; Dupont III 545f.

die Interpretation mit Hilfe paralleler Texte. Mustert man daraufhin die in Frage kommenden frühjüdischen Texte einmal durch, so fällt auf, daß hier in der Tat häufiger von Trauer über Sünde und Gesetzlosigkeit die Rede ist — wir wissen das freilich nur, weil das im Kontext jeweils deutlich zum Ausdruck gebracht wird.[41] Da das hier aber gerade nicht der Fall ist, sind zumindest diese Belege ungeeignet, hier den Gedanken der Trauer über die eigenen Sünden/eigene Unvollkommenheit wahrscheinlich zu machen.[42] Vielmehr sprechen gerade diese Texte sogar dafür, den in Mt 5,4 nicht näher spezifizierten Charakter der Trauer zu belassen und diese in einem allgemeinen Sinne zu verstehen.

Wenn für die dritte Erklärung auf Jak 4,4.8.9 abgehoben wird,[43] so ist zunächst zuzustimmen. Da dieser Brief sich nicht an eine konkrete Gemeinde wendet und auch nicht schon vorhandene konkrete Mißstände im Blick hat,[44] ist in Jak 4,9 zu interpretieren: „statt der Lust und Freude *ihrer sündigen Zeit* sollen die Angeredeten nun Trauer und Betrübnis bei sich einkehren lassen."[45] Aber worüber — über die sündige Zeit? Das dürfte zutreffen, da das vierte Kapitel nach der vorausgesetzten und durchgehaltenen Fiktion Christen anspricht, die sich in den Begierden und Gelüsten treiben lassen — dementsprechend kann auch die Trauer und Niedergeschlagenheit in V.9 sich eigentlich nur auf den eigenen Wandel dieser Leute beziehen,[46] jedoch bleibt diese Stelle schwierig und kann deswegen auch kaum zum Auslegungskanon für Mt 5,4 dienen.[47]

---

41 Vgl. außer der von Strecker beispielhaft genannten Stelle TestRuben 1,10 noch 1 Esr 8,69; 9,2; 2 Esr 10,6; äHen 95,1; TestRuben 3,15; TestJos 3,9f.; TestSimeon 4,2; auch 1 Makk 2,14; Sir 51,19G (vgl. Rahlfs und Kautzsch, Apokryphen I 474 A.g) — soweit ich sehe, ist ‚Trauer' absolut gebraucht in Sir 7,34, wo aber dem Zusammenhang nach (‚mit den Trauernden trauere') eher an Totentrauer gedacht ist (vgl. den antithetischen Parallelismus membrorum in 7,33 (‚schenke jedem Lebenden deine Gabe, und auch dem Toten versage deine Hilfe nicht!'); für 48,24 gilt ähnliches. ApkMoses 43 ist eindeutig von Totentrauer die Rede. TestSebulon 4,7-8 ist die Trauer wohl kaum auf die Sünde, sondern eher auf den Mangel einer Ausrede bezüglich des Verschwindens Josefs bezogen.
42 Vgl. auch Dupont III 549f.
43 Vgl. auch Dupont III 551.
44 Vgl. Dibelius, Jak.
45 Dibelius, Jak 271 (Sperrung I.B.).
46 Vgl. auch, daß Strecker, Makarismen 263f. Jak 4,9 für seine Deutung im Sinne eines Betroffenseins über die eigene Unvollkommenheit in Anspruch nimmt.
47 Vgl., daß Dibelius, Jak 263f. und Bultmann, ThWNT VI 43 Jak 4,9 als ein überliefertes Drohwort ansehen. Ebenso Schrage, Jak 45. Daß die Trauer sich hier auf den eigenen Lebenswandel bezieht, ist immerhin möglich, allerdings auch, daß die Bilder in V. 9 (vgl. bes. 9b!) einfach als Gegenbild zu V. 4 gewählt sind.

Sind so die Vorkommen des Wortes 'Trauer' wenig geeignet, hier Klarheit zu schaffen, so ist es sinnvoll, nach den oben vorgestellten Kriterien zu verfahren, wobei das erste hier zwar nicht direkt benutzt werden kann, aber beim Blick auf das Ganze mitberücksichtigt werden muß. Sollte sich erweisen, daß die matthäischen Makarismen bis auf 5,4 einheitlich zu interpretieren sind, dann muß wohl auch 5,4 in dem entsprechenden Sinne verstanden werden.

Wenn Strecker auch Mt 9,15 ähnlich wie Mt 5,4 verstanden hat – er deutet die Trauer in 9,15 als eine „Haltung, die durch den Abstand von diesem Äon und durch das Warten auf die zukünftige Basileia geprägt ist"[48] –, so sind die gleichen Einwände geltend zu machen wie bei seiner Interpretation von 5,4. Wodurch ist diese Nuance im Text angedeutet und worin besteht das Recht, Trauer als „Abstand von diesem Äon" zu verstehen? Wenn Strecker zur Absicherung auf Bultmanns Artikel verweist, so ist darauf hinzuweisen, daß Bultmann Mt 9,15 anders als 5,4 versteht: Während er in Mt 9,15 Totenklage angesprochen sieht, findet er in 5,4 „die Klage derjenigen, die unter dem gegenwärtigen Äon leiden", ausgedrückt.[49] Es muß m.E. in Mt 9,15 beachtet werden, daß das Motiv der Trauer vom Motiv des Fastens eingerahmt ist – nach der Erwähnung des Trauerns kann wieder vom Fasten geredet werden, als wäre keine neue Nuance eingeführt worden. Das zeigt doch, wie sich oben schon nahelegte, daß das Trauern hier, ebenso wie schon in der Mk-Vorlage das Motiv des Fastens, zusammen mit diesem den Gegensatz zur Hochstimmung der Hochzeit und damit der Heilszeit verdeutlichen soll: Fasten paßt ebenso wie Trauern nicht zur Hochzeit – die Gründe, die für das Fasten und Trauern angeführt werden könnten, spielen dabei überhaupt keine Rolle, es geht ausschließlich darum, daß Fasten und Trauern als solche nicht zur Hoch- und Heilszeit passen. Bezeichnenderweise wird ja auch weder von Mt noch von Mk ein Grund dafür genannt, warum die Jünger des Johannes (und die Pharisäer) fasten. Von Mt 9,15 her läßt sich das Motiv der Trauer in 5,4 also auch nicht näher spezifizieren.

So bleibt als letzte Möglichkeit der Näherbestimmung nur Jes 61,2 (par Sir 48, 24) – dort aber ist sowohl die Trauer als auch deren Wende in einem sehr allgemeinen Sinn verstanden, letztlich sollen alle dort gebrauchten Bilder nur die Gewißheit des Propheten ausdrücken, daß „neue Lebenskraft und Stärke erwachsen"[50] werden. Das Motiv der Trauer hat zusammenfassenden Charakter,[51] es

---

48 Weg 189.
49 ThWNT VI 43; zu Mt 9,15: VI 42. – Zur Zusammengehörigkeit von Trauer und Fasten vgl. 1 Sam 31,13; 2 Sam 1,12;3,35. Vgl. zu den folgenden Ausführungen auch Berger, Exegese 59 zur Mk-Fassung: „Der Bräutigam steht für die Freudenzeit, das Fasten für die Trauerzeit." sowie 61: „Es geht . . . um das Fasten als Zeichen der Trauer . . .".
50 Fohrer, G., Das Buch Jesaja 3. Bd. Kap. 40-66 (ZBK) Zürich/Stuttgart 1964, 236.
51 Zum zusammenfassenden Charakter der Trauer an dieser Stelle vgl. Kessler, W., Gott geht es um das Ganze. Jes 56-66 und Jes 24-27 (BAT 19) Stuttgart ²1967, 63.

soll sowohl die äußere Zerschlagenheit als auch die daraus resultierende innere Niedergeschlagenheit ausdrücken.[52]

Da Mt in 5,4 im Gegensatz zu Mt 5,6 nicht durch ein Signal deutlich gemacht hat, daß er die hier verwendeten Worte abweichend von Jes 61,2 religiös-ethisch verstanden wissen will, ist der in Jes 61,2 vorliegende äußere und allgemeine Sinn des Trauermotivs zu belassen. Sollten nicht von der Gesamtausrichtung der Makarismen her energische Einwände ausgehen, so sind die Trauernden in Mt 5,4 im Sinne von Niedergeschlagenen, sich gedrückt Fühlenden zu verstehen.

5.1.3 Mt 5,5 „Wohl denen, die gewaltlos sind und Freundlichkeit üben. Erben werden sie das Land." (W. Jens)

Das Vorgehen bei den beiden vorangegangenen Seligpreisungen, das sehr stark auf das zugrundeliegende alttestamentliche Zitat bzw. auf den Gebrauch des Wortes 'arm im Geist' in der Umweltliteratur des Neuen Testaments abhob, kann nur als Verlegenheitslösung angesehen werden.[53] An sich richtiger wäre es, der Verwen-

---

52 Trotz einer deutlich vorhandenen Tendenz zur Spiritualisierung bei Kessler bleibt bei diesem die äußere Notlage durchaus erhalten. Vgl. hierzu jetzt auch Hoffmann, Tradition und Situation 79 A.91, der bei den Trauernden auf einen religiös-politischen Hintergrund abhebt, dann aber Religion und Politik trennt, indem er entweder Trauer „über die Schändung des Namens Jahwes" oder „Trauer über die zahllosen von den Römern Hingerichteten oder von den Aufständischen Ermordeten" annimmt.

53 Daß hier allenfalls aus der Not heraus so gehandelt wird, daß eine solche Verfahrensweise nicht apriorisch die angemessenste ist, scheint mir wichtig, festgehalten zu werden. Immerhin angemerkt sei ein Zitat, das sich auf Philo von Alexandrien bezieht: „Philo, des Hebräischen unkundig, somit auch des Zusammenhangs zwischen anaw und prays, ist abhängig von den Formulierungen der LXX . . ." (ThWNT VI 648, 37f.). War Mt des Hebräischen kundig? Die Antwort auf diese Frage ist keineswegs geklärt, vgl. Kümmel, Einleitung 83.85f. 92; Schenke/Fischer, Einleitung II, bes. 113f. Es lassen sich sowohl Gründe für diese Annahme als auch gegen diese anführen, wobei freilich gerade das Mißverständnis des synonymen Parallelismus membrorum von Sach 9,9 in Mt 21,5 doch wohl gegen eine Kenntnis des Hebräischen durch Mt spricht. Vgl. dazu noch Pesch, Eine alttestamentliche Ausführungsformel 243. Die Tatsache, daß Mt so mißversteht, spricht nicht für Peschs These, daß Mt selbständig die Texte seiner Reflexionszitate übersetzt (vgl. 245). Vgl. auch noch den zu Recht erfolgenden Hinweis Barths, daß Mt in 21,5 ein ganzes Stück wörtlich dem LXX-Text folgt (Bornkamm/Barth/ Held, Überlieferung 121). Gegen LXX-Text als Vorlage auch Strecker, Weg 72, vgl. aber auch 76, die Wertung des Mißverständnisses des Parallelismus membrorum zeige, „daß er (sc. Mt) ein lebendiges Verhältnis zur jüdischen Tradition nicht besitzt". Dieses Mißverständnis „ist schwerlich einem geborenen Juden oder Judenchristen zuzutrauen . . .". Ablehnung eines Mißverständnisses bei Gundry, Matthew 409; vgl. auch noch Burger, Davidssohn 84f.

dung des entsprechenden Begriffs im Kontext des Evangeliums nachzuspüren, was aber angesichts des geringen Vorkommens der beiden oben in Frage stehenden Begriffe nicht möglich war. Die Chance, auf diese Weise dem Gebrauch des Evangelisten nahezukommen, ist bei den Seliggepriesenen des 3. Makarismus insofern — wenigstens auf den ersten Blick — größer, da Mt über 5,5 hinaus noch an zwei anderen Stellen, von den 'Sanftmütigen', wie wir vorläufig sagen wollen, spricht, und dort ein exponierter christologischer Gebrauch vorliegt.

Ein unmittelbares Zurückgehen auf den den 'Sanftmütigen' zugrundeliegenden hebräischen/aramäischen Begriff scheint mir für die Interpretation der in Mt 5,5 seliggepriesenen 'Sanftmütigen' aus zwei Gründen wenig angemessen zu sein[54]:

1. Da der 3. Makarismus bei Mt sowohl inhaltlich — bis auf den Makarismus — als auch vom Wortgebrauch her identisch ist mit Ps 36,11 LXX, legt sich von vornherein die Annahme nahe, daß er mit Hilfe von Ps 36,11 *LXX* formuliert worden ist. Die Annahme einer selbständigen Übertragung aus MT empfiehlt sich angesichts der Wortgleichheit nicht.

2. Ein solches Zurückgehen auf den entsprechenden hebräischen Begriff würde sofort auf die Identität der Seliggepriesenen in Mt 5,3 und 5,5 führen[55], was aber innerhalb des griechisch verfaßten Mt-Evangeliums durch nichts angedeutet ist, weswegen eine solche Identität nach der Intention des Autors dieser Makarismen und — nach unserer Annahme — auch des Tradenten Mt nicht in Frage kommt.

Das wäre freilich anders, wenn Dupont mit seiner Meinung Recht hätte, der sich im übrigen viele Autoren angeschlossen haben[56], daß ursprünglich Mt 5,3.5 ein Makarismuspaar gebildet hätten und die Trennung erst später durch die Einfügung des Makarismus der Trauernden erfolgt sei, wie die handschriftliche Situation noch zeige.[57] Jedoch dürfte sich diese Annahme angesichts der Wortidentität zwischen Ps 36,11 LXX und Mt 5,5 kaum empfehlen — sowohl Mt 5,4 als auch Mt 5,5 dürften von Anfang an griechisch verfaßt gewesen sein. Obwohl der Makarismus der Sanftmütigen Ps 37,11 seine Existenz verdankt, scheint es mir angemessen, nun nicht gleich den Inhalt des vom Begriff 'sanftmütig' Gemeinten aus Ps 37 zu erheben, sondern den Versuch zu machen, mit Hilfe des übrigen Mt-Evangeliums festzustellen, welchen Inhalt der Evangelist Mt mit diesem Wort verbindet —

---

54 Anders Guelich, Sermon 101, der seine Ausführungen zu Mt 5,5 sogleich beginnt: „The third Beatitude, with its verbal parallel in Ps 37(36), 11, means essentially the same thing as the first (. . .). Any attempt to draw a line of distinction between the parallel subjects, the poor in spirit and the meek, breaks down on the basis of the Old Testament background of the two Beatitudes.", vgl. auch ebd. 81f. und Gundry, Matthew 69.

55 Vgl. Dupont III 496f. und die vorige A.

56 Dupont III 473f.; Guelich, Sermon 81f. Zur Reihenfolge der 3 Makarismen in den Handschriften vgl. Dupont I 252f., III 473f.; Guelich, Sermon 81f.

57 Guelich, Sermon 81f. nimmt als Motiv für diese Änderung Angleichung an Jes 61,2 an.

er hat ja diesen Makarismus übernommen und sein Verständnis ist das letztlich entscheidende.[57a]

Sowohl die Darstellung der Diskussion als auch die eigene Stellungnahme bei Dupont zeigen, daß trotz des betonten Charakters der beiden übrigen Stellen innerhalb des Mt-Evangeliums, an denen der Begriff 'sanftmütig' vorkommt, eine einheitliche Ansicht über den Sinn von 'prays' nicht gegeben ist.
Im einzelnen finden sich folgende Deutungen[58]:

1. fromme Demut Gott gegenüber[59]

2. machtlos[60]

3. arm und niedrig, und deswegen alle Hoffnung auf Gott setzend (vgl. 1)[61]

4. geduldige Freundlichkeit[62]

5. in Verbindung von 3. und 4.: menschenfreundlich und demütig in den Willen Gottes ergeben[63]

57a Dies gilt unbeschadet der Reflexionen von Luz, Bergpredigt im Spiegel 45-47. Die mehr oder weniger sicher noch erkennbare Veränderung z.B. eines Mt-Textes „im innerneutestamentlichen Überlieferungsprozeß" hat vor allem heuristische Bedeutung. Man wird als Neutestamentler doch kaum sagen können, daß alle noch erkennbaren Traditionsstufen die gleiche Bedeutung haben. – So wenig wir das Recht haben, andere Generationen wegen ihres Bibelverständnisses zu tadeln, so wenig berechtigt ist doch die Annahme, jegliches Bibelverständnis jeder Zeit sei als gleich zutreffend anzusehen – Interpretation kann ihren Text schließlich auch verfehlen – oder gilt das bei der Bibel nicht? Für den Exegeten heute kann es doch nur darum gehen, die Intention des betreffenden neutestamentlichen Autors möglichst exakt zu erfassen und dann zu fragen, wie diese Intention unter den veränderten Bedingungen am besten durchgehalten werden kann. Wie weit solcher Interpretationsspielraum geht, kann man innerneutestamentlich an Mt 19,9 erkennen. Vgl. zum Problem auch noch Pietron, Geistige Schriftauslegung 57 ff. Man wird einfach zugeben müssen, daß es epochal bedingte und nicht miteinander verrechenbare Verständnisse von Texten gibt. In diesem Sinne sind viele Väterexegesen für uns heute einfach vergangen. Daß sie geistliche Frucht getragen haben, kann ein Grund zur Freude sein, aber kein Maßstab dafür, ob die Exegese angemessen war oder nicht.
58 Vgl. zum Folgenden auch Dupont III 486ff.
59 So Walter, Seligpreisungen 254f.
60 So Koch, Formgeschichte; mit Vorbehalt auch Eichholz, Bergpredigt 35f.; vgl. auch die zu Beginn dieses Abschnittes gebotene Übersetzung von Jens und P. Hoffmann, Tradition und Situation 85.
61 Knoch, Sanftmütig 96; ThWNT VI 649,37f.; Maahs, Diss. 96f.; Guelich, Sermon 82.
62 Grundmann, Mt 318 zu Mt 11,29. In diesem Sinne wohl auch Strecker, Bergpredigt 37, der hier ein Handeln angesprochen sieht, das „gänzlich durch Güte bestimmt ist."
63 Schneider, Bergpredigt 32.

Eine Erhellung des Sinns dieses Wortes ist mit Hilfe der übrigen prays-Belege im Mt-Evangelium zu versuchen, dabei ist vor allem darauf zu achten, ob der Begriff die Konnotation der Machtlosigkeit hat. Da Mt 11,29 die schwierigere Stelle ist, sei mit Mt 21,5 begonnen.

5.1.3.1 Mt 21,5

Hier ist deutlich, daß Mt eine Konzentration der Perikope auf das wohl von ihm eingefügte Reflexionszitat vorgenommen und dieses selbst durch Kürzung der Vorlage um einige weitere Eigenschaften dieses Königs ganz auf die 'Sanftmut' des Königs eingeengt hat.[64] Diese Tatsache — selbst wenn, wie in der Literatur erwogen[65], Mt eine andere Vorlage als die LXX benutzt hat, so sind doch auch dort Äquivalente für 'gerecht und hilft' (Einheitsübersetzung) vorauszusetzen, jedenfalls solange man an einen Bibeltext und nicht an eine Testimoniensammlung als Vorlage denkt — ist aber nur Hinweis darauf, daß die hier verhandelte Sache für das Christusbild des Mt von Bedeutung ist, den Inhalt dieses Aspektes des matthäischen Christusbildes vermag sie nicht zu beleuchten — gerade um diesen aber geht es uns. Die Bedeutung der Schilderung dieses Königs wird auch noch dadurch unterstrichen, daß das Zitat von Sach 9,9 mit einem Stück aus Jes 62,11 eingeführt wird, d.h. das, was nach der Logik der Erzählung im Folgenden geschieht, soll der Tochter Sion angesagt werden bzw. ist ihr — nach der Logik des Reflexionszitats — angesagt worden und geht im Jesusgeschehen in Erfüllung. — Will man aber den Sinn der hier angesprochenen 'Sanftmut' näher bestimmen, so bietet sich doch ein Rückgriff auf das Verständnis des zugrundeliegenden alttestamentlichen Zitates an, obwohl auch dort Interpretationsschwierigkeiten bestehen.[66] Man hat den Esel in Sach 9,9 im Sinne von Gen 49,11 verstehen wollen und zugleich darauf hingewiesen, daß der Esel im Alten Testament durchaus das Reittier des Vornehmen ist[67]: „Der Einzug auf dem Esel ist also zunächst

---

64 Dupont III 541; gegen Strecker, Weg 73, der hier von einer absichtslosen Auslassung ausgeht (Lit.). Es ist aber zu unterscheiden zwischen einer (absichtslosen?) Kontamination zweier alttestamentlicher Stellen (wie sie in Mt 21,5 vorliegen mag) und einer absichtslosen Auslassung, wie sie Strecker für Mt 21,5 annimmt. Selbst wenn die Auslassung der in LXX mit 'gerecht und Retter' wiedergegebenen Eigenschaften absichtslos erfolgt ist, so liegt doch gerade auf dem wiedergegebenen 'sanftmütig' eine Betonung, weil die Anführung des Zitats ja ausschließlich wegen des 'er reitet auf einer Eselin und auf einem Fohlen, dem Jungen eines Lasttiers' erfolgt. — Vgl. zur Einpassung dieses Reflexionszitates in den Kontext des Mt-Evangeliums bes. Pesch, Eine alttestamentliche Ausführungsformel 242f. Neuerdings: Gundry, Matthew 408f., der weniger die Betonung des prays als die Auslassung der beiden Eigenschaften des Königs von Sach 9,9 MT betont: „it stems from the present rejection of Israel."

65 Vgl. Dupont III 542; Strecker, Weg 72; Burger, Davidssohn 83f.; Rothfuchs, Erfüllungszitate 80f.

66 Vgl. Rudolph, Sach z.St.

67 Vgl. Bič, Sach 116; Rudolph, Sach 180.

nur geflissentliche Aufnahme der ältesten Messiastradition und damit ein Zeichen der Würde des Einziehenden". (Rudolph) Gleichzeitig erwägt Rudolph auch noch eine andere Interpretationsmöglichkeit, nämlich, „ob eine etwaige spätere niedrigere Einschätzung des Esels gegenüber dem Pferd hier auf die Darstellung abgefärbt hat (. . .), und ohne weiteres exegetisch vertretbar ist die These, daß der Esel hier den Kontrast zum Kriegsroß von V.10 bilde und deshalb das Symbol des Friedens sei . . .".[68] In der Tat ist in Sach 9,9f. ein starker Kontrast gezeichnet; dem Messias der Niedrigkeit in V. 9 stehen die Streitwagen aus Ephraim und die Rosse aus Jerusalem gegenüber. Der Gegensatz zwischen dem auf einem Esel nach Jerusalem/Sion reitenden Messias und den Rossen Jerusalems kann kaum unbeabsichtigt sein; da die Pferde nicht nur wegen des Zusammenhangs mit den Streitwagen als Kriegsmaterial gedacht sind[69], das der Messias oder Jahwe[70] vernichtet, und die Friedensherrschaft des Messias in V. 10 auch ausdrücklich genannt wird, dürfte auch schon bei seiner Schilderung in V. 9 an diese Eigenschaft und Fähigkeit des Messias gedacht sein. Es scheint mir von daher durchaus berechtigt zu sein, wenn Dupont abschließend urteilt: „ . . . 21,5 nous invite à joindre celle du roi qui se présente à Jérusalem dans un appareil qui s'oppose à toute idée de guerre et de violence".[71] — Jedenfalls ist diese Interpretation der Vorlage sehr angemessen. Zu fragen bleibt, ob Mt sich das Zitat auch in diesem Sinne zu eigen gemacht hat. Daß Mt auf das Königsprädikat die Betonung legt, kann angesichts der redaktionellen Einfügung von 'Hosanna, dem Sohne Davids' in 21,9 und der überaus prononcierten Verteidigung dieses Titels gegen den Angriff der Oberpriester und Schriftgelehrten mit Hilfe eines Schriftzitats in 21,16 kaum bezweifelt werden.

Daß man das Königtum Jesu in dieser Perikope nicht erkennen kann, daß es sich insofern um einen König in Niedrigkeit handelt, ist ebenfalls ohne weiteres deutlich. Daran zeigt sich auch die Richtigkeit der Interpretation des Esels — das Adjektiv 'prays' und das Reiten auf einem Esel stehen parallel und interpretieren sich gegenseitig. Daß insofern von dem auf einem Esel und nicht auf einem Schlachtroß reitenden Friedenskönig auch Momente auf das 'prays' fallen, dürfte zumindest gut möglich sein, nur bleibt die Frage, ob Mt dieses im Basistext vorhandene Friedenselement mitgedacht hat. Zweifel daran scheinen mir berechtigt zu sein, da der matthäische Leitgedanke in dieser Perikope der der Erfüllung des Alten Testamentes ist und ein positiver Hinweis auf Friedfertigkeit/Gewaltlosigkeit in der Mt-Perikope gerade nicht erfolgt.[72] Aber gleichwohl wird man zugestehen müssen, daß auch in der LXX 'prays', das man meiner Meinung nach am besten mit 'mild' wiedergibt, eine Tendenz in Richtung auf die Friedfertigkeit hat. Denn

---

68 Sach 180, ganz ähnlich auch Bič, Sach 116.
69 Vgl. Rudolph, Sach 180.
70 Vgl. zu dieser Frage Rudolph, Sach 178.
71 III 544; ganz ähnlich deutet Trilling, Der Einzug 304 ebenfalls auf dem Hintergrund von Sach 9,9f.
72 Insofern geht Frankemölle nach meinem Urteil etwas weit, wenn er Basileus prays einfach mit „friedfertiger König" wiedergibt (EWNT III 352).

mag dieses griechische Wort in der LXX auch eine stärker theologische Gründung haben[73], so läßt sich doch eine Überschneidung mit der profan-griechischen Verwendung nicht übersehen. Ist nach Plutarch die milde Sanftmut eine Tugend der Frau und eine Eigenschaft von Artemis und Leto[74], so stellt Sir 36,23 sie neben dem Mitleid als eine positive Eigenschaft (der Zunge) der Frau dar. Die positive Wirkung der Praytäs auf den Einzelnen und die Gemeinschaft betonen Isocrates und Demosthenes, aber eben auch Sirach: 'Mein Sohn, in Demut vollbringe deine Geschäfte, und von einem Manne, der (Gott) angenehm ist, wirst du geliebt werden' (3,17 nach Ryssel).[75]

5.1.3.2 Mt 11,29

Keineswegs leichter ist der Sinn von prays in Mt 11,29 zu bestimmen. Hat die Perikope Mt 11,28-30 auch eine Reihe von formalen Parallelen in der Weisheitsliteratur, so sind die wörtlichen Anklänge an bestimmte Stellen bis auf 11,29c (= Jer 6,16 MT) doch eher selten.[76] Die für den uns interessierenden Versteil angegebenen Parallelen Jes 42,1f.; 53,2ff.[77] schildern natürlich die Niedrigkeit des Gottesknechts, aber einen spezifischen Beleg für prays kann man in diesen Stellen nicht finden. Dagegen dürfte es angesichts der Tatsache, daß prays und tapeinos in der LXX mehrfach zusammen begegnen, sinnvoll und gerechtfertigt sein, den Sinn der Verbindung prays kai tapeinos aus dem Kontext der LXX-Stellen zu erheben. Umstritten ist in der Literatur auch, in welchem Sinne der hoti-Satz zu verstehen ist[78] — der Sprachgebrauch von 'lernen' im Neuen Testament liefert hier keine Klarheit (vgl. Mk 13,28 par; Gal 3,2; Hebr 5,8; Kol 1,7).

Es ist durchaus zu verstehen, daß in der Exegese erwogen wird, ob Mt 11,29b 'und lernet . . . niedrig von Herzen' redaktionell eingefügt ist,[79] da ohne dieses Element Mt 11,28f. — zumal, wenn man auch das Subjekt von 11,28 'alle, die ihr mühselig und beladen seid' auf Mt zurückführt[80] — als synonymer Parallelismus membrorum angesehen werden kann, der freilich in dem jeweiligen b-Teil sehr

---

73 So ThWNT VI 648,28ff.
74 ThWNT VI 646, 47ff.
75 Vgl. Kautzsch I z. St.
76 Vgl. zu Mt 11,29c und der Rückführung auf das AT Dautzenberg, Leben 134; Norden, Agnostos Theos 284. Zum AT-Anklang des ganzen Stückes 11,28-30 vgl. auch noch ebd. 283, wo Norden von Schmiedel sagt: ,,Er greift sich die paar wörtlichen Berührungen heraus und sagt: das seien Reminiszenzen, keine Zitate . . .".
77 So Hunter, Crux Criticorum 248; Cerfaux, Les Sources 339.
78 Vgl. Dupont III 531f.
79 Vgl. Légasse, Jésus et l'enfant 132-135; Dupont III 525-527; vgl. auch noch Légasse, L' ''antijudaïsme'' 428.
80 Vgl. dazu Dupont III 525f.

gleich ist. Aber man könnte dann wohl mit ebensoviel Recht überlegen, ob nicht V. 29 ganz auf Mt zurückzuführen ist, weil in der rekonstruierten Gestalt starke Anklänge an V. 28 und 30 vorliegen, die rekonstruierte Gestalt sich also aus V. 28 und 30 gewinnen läßt.[81] Zu fragen bleibt aber angesichts solcher Überlegungen und ihrer geringen Intersubjektivität[82], was diese austragen. Daß auf der Praytäs Jesu innerhalb des Mt-Evangeliums eine gewisse Betonung liegt, dürfte angesichts von Mt 21,5 ohnehin deutlich sein und in jedem Fall ist der Sinn von prays kai tapeinos tä kardia zunächst aus dem Gesamtzusammenhang zu erheben. – Gerade dieser aber ist nur schwer zu erkennen, da z.B. die Verheißung der Ruhe doppelt erfolgt und auch eine doppelte Begründung dafür gegeben wird, daß Jesus zur Übernahme seines Jochs ruft. Diese doppelte Begründung stört umsomehr, als eigentlich die in Aussicht gestellte Erquickung ja genügende Motivation für das Kommen zu Jesus bzw. für die Übernahme seines Jochs bietet. Wie in Sir 6 erfolgt in V. 29 zuerst der Ruf zur Übernahme des Jochs und dann die Verheißung der Ruhe, während in Sir 51 das Motiv der Ruhe in den Ruf der Weisheit, den Nacken unter ihr Joch zu beugen, integriert ist und bereits in der Vergangenheit erfolgt: 'Wenig habe ich mich abgemüht und habe für mich viel Erholung (an ihr) gefunden' (Ryssel, anders Sauer, der aber in Kap. 51 dem hebräischen Text folgt[83]). Dabei lenken die Worte 'lernet von mir . . . Herzen' die VV. 29f., die eigentlich den Ton stärker auf die Verheißung der Ruhe, das angenehme Joch und die leichte Last legen, in Richtung auf eine Betonung des Sprechers ab. Er steht nunmehr im Mittelpunkt, ja unbeschadet einer Beurteilung der literarkritisch gegebenen Verhältnisse dürfte dieser Teil von V. 29 ein relativ selbständiges Element sein, so daß die Übernahme des Jochs Jesu in erster Linie durch die Verheißung der Erquickung und das angenehme Joch motiviert sind, während das Lernen von Jesus in seiner praytäs und tapeinosis seinen Grund hat, wobei sich dann als Lösung des Problems, wie der hoti-Satz zu verstehen ist, nahelegt, daß er Begründung für die Notwendigkeit des Lernens und Objekt des Lernens zugleich ist: Jesu Praytäs und Tapeinosis sind *Grund* für das Lernen *und Gegenstand* des Lernens! Zugleich läßt diese Begründung im Zusammenhang danach fragen, gegen wen sich diese Bemerkung richtet, d.h. wer lädt den Mühseligen und Beladenen ihre Lasten auf und wer ist so im Gegensatz zu Jesus gerade nicht prays und tapeinos. Im Kontext des Mt-Evangeliums ist die Stelle 23,4 der Schlüssel hierzu[84] – es sind die Pharisäer und Schriftgelehrten – und Mt 23,6f. liefert auch den Gegensatz zu prays und tapeinos: Die an der Mühsal der Beladenen „Schuldigen" sind die Pharisäer und Schrift-

---

81 Gundry, Matthew 218f. tritt neuerdings wieder für die Redaktionalität des ganzen Abschnittes Mt 11,28-30 ein.
82 Vgl. Dupont III 526f., der selbst auf die verbleibende Unsicherheit hinweist.
83 JShrZ III/5 z.St.
84 Die Mühseligen und Beladenen werden nach der opinio communis auf die unter den pharisäischen Satzungen Leidenden gedeutet, vgl. Strecker, Weg 173; Christ, Sophia 110f. ThWNT II 902,25ff. spricht von dem Joch der Gesetzesreligion – offensichtlich liegt hier eine paulinisierende Interpretation sehr nahe, die die Intention des Mt aber verfehlt, vgl. unten A. 88.

gelehrten als die Angesehenen, denen man die besten Plätze wie selbstverständlich zuweist, die aber auf die besten Plätze auch großen Wert legen und diese für sich beanspruchen, die sich ihre innere Größe auch ständig von den Leuten bestätigen lassen[85]. Dann wird in gewissem Sinne als Gegensatz zu dem als prays bezeichneten Jesus der Ausspruch von Sir 10,14 in Frage kommen, wo die Herrschenden die Gegenspieler der Praeis sind – diese sind aber nun in Mt 11,29 nicht als die Herrschenden im weltlichen, sondern im religiösen Sinne angezielt. Von ihnen unterscheidet sich Jesus, er ist gerade nicht so wie diese, er ist zurückhaltend, vorsichtig, milde, nicht überheblich.

Tapeinos gehört ebenso wie prays in den Zusammenhang der Anawim-Frömmigkeit, so daß hier wie schon bei den 'Armen im Geist' zu fragen ist, ob dem 'im Herzen' bei dem 'Niedrigen' eine selbständige Bedeutung zukommt. Daß 'niedrig' auch ohne 'im Herzen' oder ein entsprechendes Äquivalent dasselbe bedeuten kann wie mit diesem Zusatz legt sich schon dadurch nahe, daß in Ps 17,28 LXX gesagt wird: 'Du wirst ein niedriges Volk retten' und in Ps 33,18 LXX 'er wird die im Geiste Niedrigen retten'. Der Zusatz verdeutlicht offensichtlich wie bei den 'Armen im Geiste' etwas, was das Adjektiv auch ohne den Zusatz zum Ausdruck bringen kann, was aber durch diesen eindeutig ausgedrückt wird. So macht der Zusatz deutlich, daß 'niedrig' hier nicht wie es durchaus im Sprachgebrauch der LXX der Fall ist, im Sinne von niedrig, eben (Gegensatz: hoch) oder im Sinne von bedrückt (z.B. durch militärische Macht) gebraucht ist[86], sondern daß eine *Haltung* gemeint ist. Die Übersetzung 'niedrig' dürfte dem vielleicht am ehesten entsprechen.[87]

So sehr die Anawim-Frömmigkeit die Tendenz hat, in den Anawim/Aniim die Gerechten zu sehen und so sehr die Adjektive prays und tapeinos als Übersetzung dieser hebräischen Wörter diese Tendenz teilen, so wenig ist in Mt 11,29 von Jesus als dem 'Milden' und 'im Herzen Niedrigen' im Sinne des Gerechten die Rede. Die Armen sind auf Grund ihrer Erwählung durch Gott die Gerechten; Mt 11,28ff. stellt aber nicht ungerechte Lehrer dem gerechten Jesus gegenüber, sondern stellt typisch weisheitlich die geringe Mühe und die leichte Last des Jochs Jesu heraus und verdeutlicht dieses an Jesus selbst. Das leichte Joch Jesu entspricht seiner milden und niedrigen Einstellung und steht im Gegensatz zum schweren Joch

---

85 Es sei eigens darauf hingewiesen, daß diese Aussagen des Mt nicht als historische Bemerkungen verstanden werden dürfen, was noch stärker für die in Mt 23 folgenden Worte gilt.

86 Vgl. ThWNT VIII 9.

87 Wie schon bei den 'Armen im Geist', gibt es auch bei den 'Niedrigen im Herzen' den Versuch, 'im Herzen' im Sinne der Freiwilligkeit zu verstehen; das scheint mir aber in Mt 11,28 nicht angedeutet zu sein; gegen ThWNT VIII 20f.; zutreffender EWNT III 799.

der Pharisäer, die in ihrer Erscheinung vornehm sind und viel auf sich und ihre Bedeutung halten.[88]

Mt 21,5 und 11,29 kommen in dem Moment der Zurückhaltung, Milde, Nichtüberheblichkeit überein. Da das Moment der Gewaltlosigkeit für Mt 21,5 nicht zweifelsfrei erwiesen werden konnte, richtet sich die Seligpreisung Mt 5,5 wohl am ehesten an einfache Menschen, die sich durch Zurückhaltung, Milde, Fähigkeit zum Ausgleich auszeichnen — der Gedanke der Demut vor Gott dürfte kaum enthalten sein. Ich würde nicht zögern, aus Mt 21,5 und 11,29 die Summe der Menschenfreundlichkeit zu ziehen, obwohl dann der Verdacht nahe liegt, bei diesem Schluß sei nicht das Neue Testament, sondern die griechische Antike ausgelegt worden.[89]

5.1.4 Mt 5,6 „Wohl denen, die hungrig und durstig nach Gerechtigkeit sind. Ihr Hunger und Durst wird gestillt." (W. Jens)

Dupont hat auch bei dieser Seligpreisung die verschiedenen Typen der Interpretation an Hand charakteristischer Vertreter vorgestellt und dazu detaillierte Ausführungen gemacht, die man als äußerst behutsam und umsichtig bezeichnen muß.[90] Die Diskussion zu diesem Makarismus ist vor allem durch die von Strekker mit großem Nachdruck vertretene Ansicht gekennzeichnet, Hunger und Durst seien hier nicht in einem passivischen, sondern in einem aktivischen Sinn zu verstehen und auch die Gerechtigkeit als Objekt von Hunger und Durst sei nicht als ein Geschenk von Gott her, sondern als eine von den Menschen zu erbringende Leistung vorgestellt.[91]

Betrachtet man neuere Arbeiten zu diesem Thema, so muß man feststellen, daß sich die Lage seit Duponts Arbeit nicht verändert hat. Es ist sowohl die paulini-

---

88 Die hier nicht zu behandelnde Frage, wie Mt angesichts der von Jesus in seinem Evangelium durchgeführten Toraverschärfungen das Joch Jesu als bequem bezeichnen kann, verliert viel von ihrer Bedeutung, wenn man den weisheitlich-stereotypen Charakter dieser Aussage und die Tatsache beachtet, daß dabei jeweils vom Erfolg her gedacht ist (vgl. Sir 6,23ff. bes. 28-31) — hinterfragt man das Wort Mt 11,28f. auf seine Implikationen, so wirft es ein ähnliches Licht auf Jesus wie die Antithesen (vgl. dazu Broer, Freiheit 75ff.).

89 Vgl. dazu ThWNT VI 646,36ff.

90 Vgl. bes. die vorsichtigen Rückschlüsse III 372.376.

91 Weg 156; ders., Makarismen 265; ders., Bergpredigt 38; häufig übernommen, z.B. von Luz, Bergpredigt im Spiegel 41.

sierende Deutung zu finden,[92] als auch die ethisierende.[93] Darüber hinaus versuchen eine ganze Reihe Autoren, den goldenen Mittelweg zwischen diesen beiden Extremen im Sinne eines Sowohl-Als-Auch zu gehen.[94] Hier ist vor allem die Arbeit von Guelich zu nennen, der den Gabe-Charakter der Gerechtigkeit in Mt 5,6 und 6,33 deutlich ausgesprochen findet, aber gleichzeitig die Notwendigkeit der Frage sieht, ob hier der Gabe- oder der Forderungs-Charakter überwiegt und zu folgender Lösung kommt: „God's sovereign rule is offered as good news to the poor — those whose helpless, socioeconomic, and religious condition has left them empty-handed before God. But it also demands a yielding response of acceptance and obedience. Fulfillment of the demand is not prerequisite for receiving the gift; it is concomitant with the gift itself. The recognition and acceptance of the gift enable one to respond accordingly. . . . Doing the will of God, *righteousness*, is a sign ('fruit' 7,16-20) of God's sovereign rule in one's life in the present."[95] Diese Auslegung entspricht durchaus einer Tendenz, die z.B. auch schon zu Beginn der redaktionsgeschichtlichen Forschung vorhanden war, denn auch Bornkamm begriff die Gerechtigkeit als „Forderung und eschatologisches Heilsgut zugleich".[96]

Das Verständnis der Gerechtigkeit bei Matthäus stellt ein Zentralproblem der matthäischen Theologie dar, insofern für viele Autoren hier der Gnaden- und Gabe-Charakter des Glaubens und der Rechtfertigung auf dem Spiele stehen. Die Lösungen, die hier gefunden wurden, sind vielfältig, sie reichen von einer Ablehnung des Mt[97] über ein Splitting der Belege für Gerechtigkeit bei Mt[98] bis zu einer

---

92 Vgl. Gundry, Matthew 70; aber auch Trilling, Mt I 94f.: „Wer gerecht sein will, der hat eine Leidenschaft, Gottes Willen ganz und ungeteilt zu erfüllen. Es ist nicht angedeutet, ob diese Gerechtigkeit auch durch menschliches Wirken erlangt werden kann oder allein ein gnädiges Geschenk Gottes ist. Spätere Texte beleuchten diese Frage heller als unser hier."; Stuhlmacher, Gerechtigkeit 191ff.; vgl. auch Maahs, Diss. 97ff., bei dem aber eine bedauerliche Verwechslung der Ebenen (Jesus — Mt-Evangelium) vorliegt. Jüngel, Paulus und Jesus 39; Walter, Seligpreisungen 255 A. 9.

93 So z.B. Beare, Matthew 130, der die paulinisierende Interpretation ausdrücklich als Irrtum ablehnt.

94 Vgl. z.B. Feuillet, Die beiden Aspekte 108.111f.

95 Sermon 85; ders., Beatitudes 429f. Vgl. auch Meier, Law 77f., der einen „'monochromatic' use" von Gerechtigkeit sowohl für das AT als auch für Paulus und Matthäus ablehnt und in Mt 5,6 (und 6,33) den Gedanken der Gerechtigkeit als Gabe ausgedrückt findet, ohne sich freilich auch nur einem der Einwände Duponts zu Mt 5,6 wirklich zu stellen. Vgl. auch ders., Matthew 41; Goppelt, Theologie des NT II 560.

96 Bornkamm/Barth/Held, Überlieferung 28.

97 Vgl. dazu auch Luz, Bergpredigt im Spiegel 45: „Sogar heute noch bekommt man den Eindruck, daß sich protestantische Exegese, etwa bei der Seligpreisung der Armen im Geist oder bei der Seligpreisung derer, die nach Gerechtigkeit hungern und dürsten, nur mit großer Mühe zum matthäischen Sinn des Textes durchringen könne".

98 Vgl. Meier, Law 76ff.; ders., Matthew passim, z.B. 41; Feuillet, Die beiden Aspekte passim.

Verortung des Prä der Gnade in verschiedenen Perikopen des ersten Evangeliums. Hier können Mt 4,23-25[99]; 19,30-20,16;18,32;13,38[100] aber auch die Seligpreisungen genannt werden.[101] Oder es kann auf die Einbettung der durchaus als Forderung verstandenen Seligpreisungen in die Geschichte Jesu abgehoben werden: Dadurch, daß Mt die Lehre Jesu in die Geschichte des Gottessohnes Jesus, in der Gott für die Gemeinde am Werk ist, einbettet, verstärkt er gegen die Logien-Quelle das Moment des Indikativs, die Betonung der Gnade. „Diese Einbettung der für seine Gemeinde bestimmenden Traditionen von Q in die Geschichte Jesu und die so mögliche Betonung des Prä von Gottes Handeln und von Gottes Gnade vor jeder menschlichen Tat ist wahrscheinlich die entscheidende theologische Leistung des Mt gewesen."[102] — Entscheidend und zugleich entlastend für das Problem von Mt 5,6 scheint mir ein anderer Hinweis (von Luz) zu sein, der einen erheblichen Unterschied zwischen der Intention der Seligpreisungen im Munde Jesu[103] und im Evangelium des Mt erhebt, diese auf unterschiedliche Situationen zurückführt und beide für (gleich?) legitim hält bzw. die Auslegung der Seligpreisungen durch Mt für eine legitime Interpretation der Seligpreisungen Jesu hält — eben wegen der inzwischen erheblich veränderten Situation: „Bei Matthäus, nach einem halben Jahrhundert christlicher Gnadenverkündigung, stellte sich offenbar das Problem der 'billigen Gnade', bei Jesus noch nicht. Das Problem der matthäischen Gemeinden scheint das rechte *Bleiben* bei der Gnade zu sein".[104] Unbeschadet der Tatsache, daß uns die starke Betonung einer angeblich bei Mt vorhandenen Ethisierung der Makarismen problematisch zu sein scheint, weil sie den Charakter der Aussagen in Mt 5,3-12 als Makarismen nicht ernst genug nimmt, wird hieran doch deutlich, daß es epochal angemessene Formen vom Evangelium geben kann und gibt und diese nicht einfach undifferenziert über den Leisten eines anderen epochal nicht minder angemessenen Evangeliums geschlagen werden dürfen (ohne dadurch die Rechtfertigungslehre des Paulus zu einer mehr oder minder notwendigen *Episode* christlicher Verkündigung machen zu wollen) und darüber hinaus wohl auch, daß Mt als eine Stimme im vielstimmigen Chor des Evangeliums angesehen werden muß — und eine Stimme ist nicht der ganze Chor[105]. — Ist von daher das Problem des matthäischen Gerechtigkeitsverständnisses doch wohl nicht so fundamental wie es gelegentlich erscheint, so kann

---

99 So Luz, Jünger 164 A. 101. Vgl. auch Marguerat, Jugement 225ff.
100 Fiedler, Sohn Gottes 98. Vgl. dazu aber auch Strecker, Weg 143 A. 2; Marguerat, Jugement 216 und unten A. 121.
101 Vgl. Hendriksen, Matthew 289.
102 So Luz, Bergpredigt im Spiegel 69 A. 9.
103 Die weitgehend mit Lk 6, 20b-21 identisch waren.
104 Bergpredigt im Spiegel 42.
105 Vgl. dazu auch Dupont I 221 A. 5, aber auch Strecker, Weg 174f., der für Mt eine Identität von Imperativ und Indikativ feststellt und ausdrücklich betont: „Die paulinische Unterscheidung von Indikativ und Imperativ ist auch in einem eingeschränkten Sinn auf unser Evangelium nicht anzuwenden."

man wohl auch unbefangen an die Exegese von Mt 5,6 herangehen und nach dem dort vorliegenden Verständnis der Gerechtigkeit fragen.

Um die Diskussion hier weiterzubringen, scheinen mir folgende Bemerkungen angebracht:

1. Daß Mt einen sein ganzes Evangelium durchziehenden einheitlichen Gerechtigkeitsbegriff hat, bedarf angesichts der uneinheitlichen Qualifizierung dieses Begriffes[106] durch auf die Jünger bezogenes 'eure' ('eure Gerechtigkeit' Mt 5,20; 6,1) und auf Gott zu beziehendes 'seine' ('seine Gerechtigkeit' Mt 6,33[107]) sowie des absoluten Gebrauchs (Mt 5,10; 3,15) einer durchschlagenden Begründung.[108] Der Hinweis, ein bestimmtes Verständnis von Gerechtigkeit sei dann ja innerhalb des Evangeliums singulär,[109] trägt insofern nichts aus – es gibt im Mt-Evangelium ja auch singuläre Wortverbindungen mit 'Gerechtigkeit'.

2. Auch die Behauptung, der Redaktor habe einen Begriff oder Satz aus der Tradition übernommen und insofern sei dessen Bedeutsamkeit für das Evangelium eingeschränkt,[110] scheint mir problematisch zu sein. Wenn der Redaktor einen Begriff oder Satz aus seinen Vorlagen übernimmt, ohne ihn z.B. negativ zu kommentieren, so macht er ihn sich auch zu eigen. Wenn Mt also in 6,33 schreibt 'dies alles wird euch hinzugegeben werden', wo ja unabhängig von dem 'Hinzugeben' der Geschenk-Charakter auch noch durch das vom Kontext als theologisch qualifizierte Passiv verdeutlicht wird, so ist davon auszugehen, daß er dieses 'Geben' trotz der Traditionalität der Aussage ernst nimmt.

Ist so der Geschenk-Charakter auch für den Evangelisten Mt zu reklamieren und nicht durch den fragwürdigen Hinweis auf die Übernahme von Tradition zu

---

106 Gerade dieser uneinheitliche Gebrauch läßt es problematisch erscheinen, bestimmte Gerechtigkeitsstellen des Mt-Evangeliums als Interpretationskanon für andere zu benutzen.

107 Zur Beziehung von 'seine Gerechtigkeit' auf Vater oder Gott (vgl. 6,32) vgl. Strecker, Weg 155; Trilling, Israel 147 A. 21; Bornkamm/Barth/Held, Überlieferung 130.

108 Vgl. zu dieser Forderung auch Betz, Rechtfertigung 27f.

109 So Strecker, Weg 156; vgl. zum Verständnis des Begriffs der 'Gerechtigkeit' in der Bergpredigt auch Grundmann, Mt 217 A. 26; Gundry, Mt 118.

110 So Strecker, Weg 155 zu Mt 6,33. – Die Unterscheidung zwischen Tradition, mit der der Evangelist sozusagen nichts zu tun hat, und seiner redaktionellen Bearbeitung der Tradition, die allein für seine Theologie repräsentativ ist, führt bei Przybylski, Righteousness 89f. zu folgender Überlegung: „For example, Ziesler argues that 'προστεθήσεται (wird hinzugegeben werden) points to righteousness as God's gift and not only the object of man's search'. This proof is not convincing, for, as was shown above, it appears that in 6,33 only the phrase καὶ τὴν δικαιοσύνην αὐτοῦ (und seine Gerechtigkeit) is redactional. The verb προστεθήσεται, on the other hand, is not redactional. Since this verb formed part of the Vorlage it is unwarranted to base Matthew's understanding of righteousness on it." – Wie atomistisch soll der Evangelist eigentlich gedacht haben?

minimieren, so bleibt zu fragen, was als Objekt dieses Hinzu-Gegeben-Werdens angesehen werden soll. Kann man Guelich mit seiner Behauptung zustimmen: „This divine passive ($\pi\rho o\sigma\tau\epsilon\vartheta\eta\sigma\epsilon\tau\alpha\iota$) implies that 'the Kingdom and his righteousness' come from God as well as the 'all these things' added over and above. Therefore, the Kingdom and God's righteousness must be seen along with 'all these things' as gifts which one can enjoy in this world"?[111] – Der Geschenk-Charakter von Gottes Gerechtigkeit in Mt 6,33 kann auch noch auf andere Weise behauptet werden: „. . . we see that seeking the Kingdom can hardly mean creating or attaining the Kingdom (the divine gift of eschatological salvation!) by one's own moral effort. This is confirmed by the fact that 'seeking the Kingdom' is spoken of precisely in a context urging the surrender of all anxiety and effort (6,25-34). This seeking is closely akin to hungering and thursting after justice (5,6). . . . The conclusion of 6,33 (kai tauta panta prostethesetai [divine passive!] hymin) simply confirms the tone of divine gift that permeates the whole verse".[112] – Ist in Mt 6,25-34 die Intention des Evangelisten, „urging to surrender of *all* anxiety and effort"?[113] Davon kann m.E. überhaupt keine Rede sein. Es geht hier nicht um das Aufgeben des Sorgens überhaupt, dem dann eine Forderung, sich von Gott beschenken zu lassen, entspräche, sondern es geht darum, die Suche nach dem, wonach sogar die Heiden trachten, aufzugeben und im Unterschied zu diesen das allein und entscheidend Wichtige zu suchen: Die Basileia und Gottes Gerechtigkeit. Wer sie sucht (und findet), dem wird alles *andere,* d.h. das, wonach die Heiden trachten, die fragen: „Was sollen wir essen, was trinken und anziehen?", dazugegeben werden. Der doppelt betonte Geschenkcharakter bezieht sich allein auf 'dieses alles'[114], also nicht auf die Basileia und Gottes Gerechtigkeit, die ausdrücklich als zu Suchende dargestellt sind – als zu Suchende in dem Sinn, in dem die Heiden nach Essen, Trinken und Kleidung streben.[115] Bei diesem Verständnis bleibt freilich der Ausdruck *'Seine* Gerechtigkeit' problematisch. „Wenn nirgendwo in der Tradition $\delta\iota\kappa\alpha\iota o\sigma\acute{\upsilon}\nu\eta$ $\vartheta\epsilon o\tilde{\upsilon}$ des Menschen Gerechtigkeit vor Gott bezeichnet, ist nicht anzunehmen, daß Matthäus den apokalytischen Begriff von sich aus umprägt . . ."[116] Aber mit dieser Behauptung kommt man gegen den Wortsinn

---

111 Guelich, Sermon 86; vgl. auch Strecker, Weg 155.
112 Meier, Law 78; anders dezidiert z.B. Frankemölle, Jahwebund 283. Häufig werden Mt 5,6 und 6,33 in dieser Hinsicht zusammen gesehen, vgl. z.B. Meier, Law 78; Gundry, Mt 118. Anders EWNT I 793.
113 So Meier, Law 78 (Sperrung I.B.).
114 Es ist gerade nicht gesagt, daß "the quest for material things . . . must take second place to the quest for his kingdom and righteousness" – so Beare, Mt 188; vgl. auch Bornkamm/Barth/Held, Überlieferung 131 A. 2: „. . . die Lebensmittel werden zu der $\beta\alpha\sigma\iota\lambda\epsilon\acute{\iota}\alpha$ und der $\delta\iota\kappa\alpha\iota o\sigma\acute{\upsilon}\nu\eta$ noch 'hinzugegeben' werden." Aber das Hinzugegebenwerden setzt nicht voraus, daß schon etwas gegeben worden ist, sondern nur, daß schon etwas vorhanden ist (hier: das Gesuchte), zu dem etwas hinzugegeben werden kann.
115 Vgl. Gundry, Mt 118f., der auf die emphatische Aufnahme von 'dieses alles' in 6,33 aus 6,32 (2 mal) hinweist.
116 So Stuhlmacher, Gerechtigkeit 189.

von Mt 6,33, der das Streben nach Gottes Gerechtigkeit „befiehlt", nicht an. Gottes Gerechtigkeit ist hier das Ziel menschlichen Strebens — wodurch dieses Streben veranlaßt ist, wird übrigens nicht gesagt —, wie auch in Mt 7,21 das Gelangen in die Basileia an die Erfüllung des göttlichen Willens gebunden ist. Ob das im Widerstreit zur paulinischen Rechtfertigungslehre steht, ist keineswegs von vornherein klar, da das mit dem Streben nach der Gerechtigkeit Gemeinte, die Erfüllung des Willens Gottes, auch bei Paulus gefordert wird und Paulus trotz der von ihm immer wieder herausgestellten Rechtfertigung als Geschenk an den gottlosen Sünder formulieren kann: „Wißt ihr denn nicht, daß Ungerechte ($\mathring{\alpha}\delta\iota\kappa\omicron\iota$) das Reich Gottes nicht erben werden?" (1 Kor 6,9; vgl. auch Gal 5,21).[117]

3. Wenn in Mt 6,10 um das Kommen der Basileia gebetet wird und damit gemeint ist, „daß Gottes Wille auf Erden verwirklicht werden möge",[118] und zwar mit der Hilfe Gottes, so zeigt sich schon daran, daß der matthäische Gerechtigkeitsbegriff nicht einfach im Sinne menschlicher Leistung und Selbstmacht gedacht werden darf.[119] Die „Durchsetzung des Willens Gottes auf der Erde"[120] im Sinne der größeren Gerechtigkeit von Mt 5,20 bzw. des Liebesgebotes in Mt 22, 39f. ist zwar den Menschen aufgetragen, geschieht aber weder unabhängig von Gott noch ohne dessen Hilfe. Dieser Gedanke wird an mehreren Stellen des Mt-Evangeliums zum Ausdruck gebracht;[121] — die Herrschaft Gottes und seine Ge-

---

117 Vgl. auch die Mt 6,33 ähnliche Formulierung in Gal 2,17: $\epsilon\mathring{\iota}\,\delta\mathring{\epsilon}\,\zeta\eta\tau\omicron\mathring{\upsilon}\nu\tau\epsilon\varsigma$ $\delta\iota\kappa\alpha\iota\omega\vartheta\tilde{\eta}\nu\alpha\iota\,\mathring{\epsilon}\nu\,\chi\rho\iota\sigma\tau\tilde{\omega}$ (Wenn wir, die wir in Christus gerechtgesprochen zu werden suchen . . .).

118 Trilling, Israel 146; anders Strecker, Weg 155.

119 So zu Recht Fiedler, Sohn Gottes 98. Allerdings sind nicht alle dort herangezogenen Belegstellen von Mt auch wirklich in *seine* Theologie übernommen worden, wie seine redaktionelle Kommentierung zeigt — vgl. unten A. 121.

120 Bornkamm/Barth/Held, Überlieferung 135 A. 3.

121 Zu Mt 6,33 vgl. einerseits Stuhlmacher, Gerechtigkeit 188f.; Bornkamm/ Barth/Held, Überlieferung 130; Meier, Law 78; Betz, Rechtfertigung 30; andererseits Strecker, Weg 157; Frankemölle, Jahwebund 283.
Auf Mt 18,23-35 und 20,1-16 sollte man für die Problematik von Gesetz und Gnade bei Mt besser nicht hinweisen, da Mt den dem Gleichnis in Mt 18 eindeutig zugrundeliegenden Gedanken der vorgängigen Vergebung (vgl. dazu meinen Beitrag „Die Parabel vom Verzicht auf das Prinzip von Leistung und Gegenleistung (Mt 18, 23-35)", in: A Cause de l'Evangile. Etudes sur les Synoptiques et les Actes. Offertes au P. Jacques Dupont (LD 122) Paris 1985, 489-509) in seiner redaktionellen Bemerkung 18,35 nicht aufgenommen, sondern gerade auf die daraus für den Menschen sich ergebende Forderung hingewiesen hat. Auch den in Mt 20,1-15 vorliegenden Gedanken der Güte des Hausherrn nimmt Mt in 20,16 nicht auf.
Dafür, daß Mt nicht nur den Imperativ kennt, spricht außer Mt 1,23; 26,28; 28,20 vor allem Mt 6,10, wo um das Geschehen des Willens Gottes — diesen Terminus verbindet Mt (neben Jo) sonst eng mit dem Verbum „tun" — gebetet wird. Daraus läßt sich zwingend noch nicht entnehmen, daß der Christ zum Handeln nach Mt auf die Gnade angewiesen ist, wohl aber, daß der zur

92

rechtigkeit stehen in Mt 6,33 sehr dicht beieinander.[122] Zu vergleichen ist dazu Mt 21,43, wo zwar „nur" von Gottes Herrschaft die Rede ist, diese aber nicht einem Volke gegeben wird, das gute Früchte gebracht hat, sondern gute Früchte bringt — es ist also auch dort ein Verständnis naheliegend, das nicht einseitig das Tun des Menschen betont.[123]

4. Was Mt 5,6 angeht, so darf man sich nicht von vornherein auf eine phänomenologische Analyse von Hunger und Durst einstellen und den Sinn des dort Gemeinten auf diese Weise zu erheben versuchen.[124] Dies geht deswegen nicht, weil im Alten Testament an mehreren Stellen Hunger bzw. Durst im übertragenen Sinne gebraucht sind.[125]

Erlangung des Heils auf gute Werke angewiesene Christ Gott um die Erfüllung seines Willens bitten kann. Das ist umso bedeutsamer, als Mt das Vaterunser als Regelgebet anführt; jedesmal wenn der Jünger betet, soll er so beten.

Vgl. zu Mt 6,10 v.a. Trilling, Israel 191, der das Ineinander von göttlicher und menschlicher Tat gut herausgearbeitet hat: „Gott ist der primär Handelnde. Doch darf man weiter fortsetzen: der sekundär Handelnde ist der Mensch. Matthäus will sagen, daß Gottes Königtum sich eben dann verwirklicht, wenn der Mensch sich dem Willen Gottes nicht in den Weg stellt, sondern sich ihm in Demut und Gehorsam beugt. . . . Gottes Ratschlüsse sollen nicht nur durch Gottes, sondern auch des Menschen Wirken 'geschehen'. Der Vers 6,10b würde so das matthäische Verständnis der drei ersten Bitten des Vaterunsers überhaupt erschließen."

Schließlich sei auch auf Mt 5,7 hingewiesen. Barmherzigkeit ist ja einerseits die Tugend, die Mt in Anlehnung an Hos 6,6 in Mt 9,13 und 12,7 zum Maßstab erhebt, andererseits ist sie in Mt 25,31-46 die Richtschnur, die über Heil oder Unheil im Gericht entscheidet. Was hat es zu bedeuten, daß Mt diesen Menschen, wobei er ja wohl an Christen denkt, den Zuspruch erteilen läßt: Sie werden selbst *barmherzig behandelt* werden? Zeigt dies nicht, daß der 1. Evangelist selbst bei Vorliegen einer die Gerechtigkeit der Pharisäer und Schriftgelehrten übersteigenden Gerechtigkeit (Mt 5,20; 23,23) von einer bleibenden Angewiesenheit der Christen auf Gottes Erbarmen ausgeht?

122 Vgl. Neuhäusler, Anspruch und Antwort 161.
123 Gegen Hummel, Auseinandersetzung 148, der schreibt: „Der Empfang der Basileia setzt also die Gebotserfüllung in der Nachfolge Jesu voraus." Zutreffender Trilling, Israel 60: „Das neue Volk *soll* die Früchte bringen, die die Winzer verweigert, d.h. nicht gebracht haben." Mt bleibt mit seiner Deutung in 21,43 übrigens ganz in der Linie des Gleichnisses, das auf Grund der erzählerisch-konstruierten Welt zuerst die Übergabe des Weinbergs „berichten" muß (21,33.41b) und dann erst von der Ablieferung der Früchte sprechen kann (21,34.41c).
124 Vgl. die Zusammenfassung der Argumentation von Weiss bei Dupont III 368, der aber nur für viele Autoren steht.
125 Am 8,11; Ps 42,3; 63,2; Sir 24,21; 51,24. Vgl. a. äHen 48,1.

5. Die Änderung des Mt ist ernster zu nehmen als es häufig geschieht. Durch die Einfügung der Worte 'und dürsten nach Gerechtigkeit'[126] ist nicht nur noch ein zusätzliches Motiv zur ursprünglichen Aussage hinzugetreten, sondern eine radikale Veränderung erfolgt, insofern das Motiv des realen Hungers jetzt keine Rolle mehr spielt, sondern hungern und dürsten ausschließlich im übertragenen Sinne zu verstehen sind.[127]

6. Es lassen sich keine *zwingenden* Aussagen darüber machen, ob das Objekt der in Mt 5,6b in Aussicht gestellten Sättigung die in 5,6a als Objekt von Hunger und Durst genannte Gerechtigkeit ist oder nicht. Zwar ist dieser Gedanke sehr naheliegend und von daher ist diese Interpretation auch die wahrscheinlichere, aber der Einwand, in den ebenfalls nach dem Peripetie-Schema konstruierten Makarismen 2,3 und 4 sei ein Zusammenhang gleicher Art zwischen den beiden Teilen des Makarismus nicht gegeben,[128] läßt sich nicht einfach vom Tisch wischen. Gleichwohl: Womit sollen die Hungernden und Dürstenden denn gesättigt und getränkt werden, wenn nicht mit dem, wonach sie dürsten und hungern? Soll der zweite Teil des Makarismus nicht seinen Charakter als Verheißung verlieren, so wird man doch nicht darum umhin können, als Gegenstand der Sättigung die Gerechtigkeit zu denken. Da das Passiv theologisch ist,[129] kommt man um einen Geschenk-Charakter der Gerechtigkeit wohl kaum herum.

7. Es bedarf doch wohl weiterer Reflexionen, ob Mt 5,6a einfach mit Hilfe des philonischen Griechisch ausgelegt werden darf. Philo, Fug 139, wo Hunger und Durst sich auf die καλοκαγαϑία (Vortrefflichkeit) beziehen, wird ja häufig

---

126 Während häufig der ganze Überschuß bei Mt über Lk hinaus auf den ersten Evangelisten zurückgeführt wird (vgl. nur Gundry, Matthew 70; Guelich, Sermon 83) erwägt Strecker, Weg 151 im Anschluß an Lohmeyer, nur die Einfügung von 'nach Gerechtigkeit' dem Mt zuzuschreiben; vgl. jetzt auch noch ders., Bergpredigt 38; vgl. noch Grundmann, Mt 126, der die lukanische Kürzung von 'und dürsten' annimmt. Die Frage ist kaum von Bedeutung, da Durst zwar noch elementarer ist als Hunger, dies aber angesichts des häufig stereotypen Nebeneinanders von Hunger und Durst (vgl. nur Hiob 22,7; 24,10 f.; Ps 107,5; Jes 49,10) in biblischer Sprechweise kaum noch empfunden worden sein dürfte. – Vgl. zum Problem der zuverlässigen Differenzierung zwischen Redaktion und Tradition an dieser Stelle auch Dupont III 368 A. 2.

127 Vgl. Dupont III 368.

128 So Dupont III 379 im Anschluß an Descamps.

129 Vgl. Dupont III 376. Strecker, Weg 157 kann diese Konsequenz nur vermeiden, weil er sich über den Charakter „des himmlischen Lohnes" keine Rechenschaft ablegt.

als genaue Parallele zu Mt 5,6a angesehen.[130] Ob diese Ansicht berechtigt ist, bleibt aber fraglich. Immerhin ist ja auffällig, daß 'hungern' in der antiken Klassik in sehr übertragenem Sinn gebraucht werden kann.[131] Darüber hinaus überdecken bei Philo „auch hier stoische, platonische und gnostische Elemente das jüdische Erbe".[132] Während bei Philo nun eine ganze Reihe gleicher oder ähnlicher Belege zu finden sind,[133] verwendet die LXX 'hungern' und 'dürsten' nicht in gleicher Weise übertragend. Zwar wird Am 8,11 in V.12 im Sinne eines aktiven Suchens erklärt, aber das bleibende Moment des 'Hungerns' im Sinne der Unfreiwilligkeit, des Entzogenseins in dem Sinne, daß das Erhungerte den Hungernden nicht verfügbar ist, bleibt gerade erhalten. Der Hunger – LXX gebraucht hier übrigens λιμός – ist von Jahwe geschickt und ist trotz intensiver Suche nach Abhilfe nicht zu stillen. Das gleiche gilt nun interessanterweise auch für die beiden Belege aus dem Psalmenbuch, an denen das Motiv des Dürstens in übertragenem Sinne gebraucht wird: Ps 42,3; 63,2. Zwar hat u.a. Dupont zu Recht darauf hingewiesen, daß das dort genannte 'Dürsten nach Gott' durch einen Gang in den Tempel gestillt werden kann[134] und insofern hier nicht von der Hoffnung auf eine direkte Theophanie die Rede ist, aber dem Kontext dieser Psalmenstelle wird doch nur eine Deutung gerecht, die deutlich macht, daß gerade dieser Gang in das Heiligtum dem Beter dieses Psalms aus welchen Gründen auch immer unmöglich ist: 'Wann werde ich kommen und schauen das Angesicht Jahwes? Tränen sind meine Speise geworden bei Tag und bei Nacht, während sie den ganzen Tag zu mir sprechen: wo ist nun dein Gott? ... was bist du so aufgelöst, meine Seele, und stöhnst in mir? Harre auf Jahwe, denn ihm werde ich noch danken, der Hilfe meines Antlitzes und meinem Gott' (Ps 42,3.4.6 in der Übersetzung von Kraus; vgl. auch 42,9.12; 43,2-5). Zwar ist sich der Beter der göttlichen Hilfe gewiß (vgl. Ps 42,6.12;43,5), aber

---

130 Vgl. Strecker, Weg 157; ders., Makarismen 265; ders., Bergpredigt 39 A. 44: Philo bezeichnet „damit ein aktives Sicheinsetzen für das höchste Ziel des griechischen Menschen, für die Haltung, die das Gute und Schöne verwirklicht"; mit Vorbehalt Wrege, Überlieferungsgeschichte 18; vgl. auch Dupont III 370f. und Giesen, Christliches Handeln 88ff. Ergebnis der Durchsicht der alttestamentlichen und jüdischen Belege ist nach Giesen: „In beiden Texten (sc. Am 8,11 und Sir 24,19-22) ist ein aktives Mittun verlangt: Wer nicht hungert und dürstet, kann nicht gesättigt werden." Diese Interpretation von Am 8,11f. scheint mir Giesens eigener Analyse auf S. 91 zu widersprechen, wo Giesen selbst auf den phänomenologisch gegebenen Ausstand des Hungerns und Dürstens hinweist. Skopus ist das Ungestilltsein des Verlangens (= Hunger und Durst), das zudem von Gott geschickt ist. Der Überschuß des Verlangens steht auch in Sir 24,19-22 im Vordergrund – ein „aktives Mittun" ist in beiden Belegen gerade nicht ausgesprochen.

131 Vgl. nur die Belege in ThWNT VI 12,15f. z.B. Hunger auf Lob, Hunger auf Schönheit.

132 So ThWNT VI 13,37f.; vgl. zu Philo auch Art. Philon 10, in: Der kleine Pauly 4 (dtv 59/63) 772ff., bes. 773f.

133 Die meisten Belege nennt Dupont III 373.

134 III 369 A. 1; vgl. auch Kraus, Ps I 475.

Gegenstand seines Sehnens ist nicht etwas, was von ihm geleistet werden könnte, sondern was allein bei Gott liegt. Ganz ähnlich ist die Situation in dem etwas zusammenhanglos erscheinenden Ps 63[135], auch hier verlangt der Beter nach Gottes Hilfe, diese steht noch aus und ist ihm entzogen, so sehr auch der Beter sich der göttlichen Hilfe gewiß ist (vgl. V. 10) – V. 3 zeigt zugleich, daß es mit einem bloßen Besuch des Beters im Tempel wohl nicht getan ist.[136]

So sehr einerseits die Theologie der Gerechtigkeit bei Mt durch ein aktives Element auf seiten des Menschen gekennzeichnet ist (Mt 5,20; 6,1.33; vgl. auch 3,15 und 21,32), so sehr dürfte in Mt 5,6 angesichts des oben unter Ziffer 6 dargestellten Geschenk-Charakters der Apodosis in 5,6b, wo die Sättigung gerade das zum Gegenstand hat, worauf Hunger und Durst zielen, weniger an ein aktives Sich-Bemühen oder Streben als an ein leidendes Verlangen gedacht sein, das allein von Gott gestillt werden kann – es geht in Mt 5,6 um die Seligpreisung von Menschen, die sich nach Gerechtigkeit sehnen. Dieses Verständnis entspricht auch der Form des Makarismus.

5.2 Die Makarismen der Bergpredigt als Zuspruch

Überschaut man unseren Interpretationsversuch hinsichtlich der in den matthäischen Makarismen seliggepriesenen Menschen, soweit deren Interpretation strittig ist, so wird man jedenfalls nicht sagen können, daß hier einheitlich die „Inhaber" von ethischen Tugenden „Gegenstand" der Seligpreisungen sind. Weder der Makarismus der 'Armen im Geiste' wollte sich ganz dieser ethisierenden Interpretation einfügen, noch konnten wir die Argumente für eine ethisierende Interpretation der Trauernden akzeptieren. Im Gegenteil: Die Tatsache, daß im Gegensatz zu einer verbreiteten Tradition im Judentum des 1. vorchristlichen und des 1. nachchristlichen Jahrhunderts von der Trauer bei Mt absolut, also ohne Nennung des Grundes der Trauer, die Rede ist, sprach sogar dafür, daß hier einfach Menschen, die traurig sind, weil sie Grund dazu haben, d.h. weil ihnen Leid widerfahren ist – ohne daß der Inhalt des Leides in irgendeiner Weise erkennbar würde –, seliggepriesen werden. Für diese Interpretation läßt sich im übrigen vielleicht auch auf den bei Lk erhaltenen Makarismus der Weinenden hinweisen, wo in ähnlicher Weise eine Umkehrung der von Leid gezeichneten Situation verheißen wird.

Wie sehr die einheitlich ethisierende Interpretation der Seligpreisungen an ihre Grenzen bei der Auslegung stößt, ergibt sich auch aus Mt 5,10ff. – ganz besonders dann, wenn V. 10, wie fast durchweg angenommen wird, vom Verfasser des ersten Evangeliums selbst unter Benutzung von Elementen aus 5,11f. verfaßt worden ist. Denn selbstverständlich ist dieser Makarismus – ähnliches gilt auch

---

135 Vgl. Kraus, Ps II 600, der diese Feststellung Gunkels aber kritisiert.
136 Vgl. dazu Kraus, Ps I 366f.; Hiob 18,12 hat in LXX keine Entsprechung; äHen 48,1f. ist freilich das Trinken der Weisheit in das Belieben der Durstigen gestellt.

für den letzten, in 2. Person verfaßten Mt 5,11f. — keine Aufforderung zum Martyrium — eine Verfolgung 'wegen Gerechtigkeit', also eine ungerechte Verfolgung, ist ja nicht ohne weiteres manipulierbar —, sondern, minimal ausgedrückt, „eine Ermutigung an die Hörer, die sich in der Verfolgungssituation befinden."[137] Aber worin besteht dann das ethische Element dieses Makarismus? „Zugleich spricht er eine Forderung aus; es geht darum, in der Verfolgung den Maßstab der Gerechtigkeit nicht außer acht zu lassen, sondern sich als δίκαιοι zu erweisen."[138] — Spricht diese Seligpreisung wirklich eine Forderung aus oder identifiziert das 'wegen (der) Gerechtigkeit' nicht lediglich die Verfolgten als Christen (vgl. Mt 5, 20)? Aber auch wenn der Hinweis auf die Gerechtigkeit anders zu verstehen sein sollte und mit Strecker nur zu Unrecht erfolgende staatliche Zwangsmaßnahmen ganz allgemein gemeint sind, so ist auch bei diesem Verständnis kein Forderungs-Charakter vorhanden, sondern der Zusatz soll lediglich deutlich machen: Nicht jeder Verfolgte steht unter diesem Zuspruch des Heils, sondern nur der, der wegen seines gerechten Verhaltens zu Unrecht verfolgt wird. Der Hinweis auf die Gerechtigkeit zeigt ebenso wie der auf die Unwahrhaftigkeit in 5,11, daß Mt nicht etwa völlig unbefangen, sondern sehr reflektiert an diese beiden Makarismen herangeht, ohne daß man ihm gleich juridisches Denken vorwerfen sollte.[139]

Schließlich fügte sich auch der Makarismus der 'nach Gerechtigkeit Hungernden und Dürstenden' einem ethischen Verständnis der Seligpreisungen nicht gut ein, da nach dem Gebrauch in der LXX der passive Charakter, das Leidensmoment, das der menschlichen Verfügung Entzogensein von Hunger und Durst nicht nur mitangezielt sein, sondern sogar im Vordergrund stehen dürfte.

Wie bei der Seligpreisung der Trauernden steht so auch bei dem Makarismus der nach Gerechtigkeit Hungernden und Dürstenden der Widerfahrnis-Charakter im Vordergrund. Wie Trauer nicht in erster Linie aktive (Trauer-)Arbeit ist, sondern etwas, was den Menschen überfällt, was seiner Verfügung entzogen ist, so auch Hunger und Durst. — Dieser primär passive Charakter der Trauer kommt übrigens durchaus auch in der Trauerdefinition von A. und M. Mitscherlich — trotz des Begriffs „Trauer-*Arbeit*" — zum Ausdruck, wenn die Trauer als „seelischer Prozeß, in welchem das Individuum einen *Verlust* verarbeitet", verstanden wird.[140]

Von hier aus dürfte dann aber auch Licht auf die Makarismen fallen, deren Subjekt von vornherein eine Tätigkeit enthält. Die genannten Seligpreisungen widerstehen jedenfalls mit ihren von Passivität gekennzeichneten Subjekten einem *einheitlich* ethischen Verständnis der matthäischen Seligpreisungen. Wenn unsere Überlegungen zur Interpretation des Makarismus überhaupt (s.o. das 2. Kapitel) insgesamt zutreffen, so muß dies Anlaß sein zu überlegen, ob nicht die gesamte matthäische Makarismenreihe in dem Sinn einer überraschenden Konstatierung eines Zusammenhangs zwischen dem 'Selig' und den Subjekten der Makarismen

137 Strecker, Bergpredigt 45.
138 ebd.
139 Vgl. Strecker, Bergpredigt 47.
140 Mitscherlich, A.u.M., Die Unfähigkeit zu trauern. Grundlagen kollektiven Verhaltens, München 1967, 9.

zu verstehen ist. Von der Form des Makarismus her ist ein solches Verständnis, wie wir gesehen haben, ohnehin naheliegend. Da einige der Seligpreisungen des Mt sich dem ethischen Verständnis sperren, sollte man ernsthaft mit dieser Möglichkeit rechnen. Daß dann sekundär, wie dargelegt, die Makarismen *auch* einen Aufforderungs-Effekt haben, braucht deswegen nicht bestritten zu werden. Die erste Intention liegt aber gerade nicht in diesem ethisierenden Effekt, sondern in dem Zuspruch, in der Aufdeckung dieses Zusammenhanges. Deswegen darf man die Seligpreisungen des 1. Evangelisten nicht, jedenfalls nicht primär, der Paränese zuweisen. Der paränetische Effekt tritt vielmehr erst durch die Aufdeckung dieses Zusammenhanges zwischen bestimmten Befindlichkeiten und dem Heil ein.

Es ist des weiteren sehr die Frage, ob dieser sekundär paränetische Effekt je nach der Person, in der der Makarismus ergeht, divergiert. Jedenfalls kann auch der Makarismus in der 2. Person in einer schriftstellerischen Konstellation begegnen, wo auch die 2. Person sekundär paränetischen Effekt trägt – wie die Reihe der Seligpreisungen in 2. Person im Zusammenhang mit den Wehe in 2. Person bei Lk zeigt.

Zwar wird man nicht sagen können, daß es für die Frage, ob es sich bei den Seligpreisungen um Paränese oder Zuspruch handelt, gar nicht auf den Inhalt des mit dem Makarismus verbundenen Subjekts ankommt, weil, wie festgestellt, bestimmte Inhalte sich der Aufforderung versperren, aber gerade diese Tatsache sollte Hinweis darauf sein, daß der Makarismus primär indikativen Charakter trägt.

Literaturverzeichnis

In dieses Verzeichnis sind nur diejenigen Titel aufgenommen, die in der Arbeit mehrfach erwähnt und jeweils mit Kurztitel angeführt sind.

Agouridès, S., La Tradition des Béatitudes chez Matthieu et Luc, in: Mélanges bibliques en hommage au Béda Rigaux, Gembloux 1970, 9-27.

Bartina, S., Los Macarismos del Nuevo Testamento. Estudio de la forma: EE 34 (1960) 57-88.
Bartsch, H.-W., Feldrede und Bergpredigt: ThZ 16 (1960) 5-18.
Bauer, W., Griechisch − Deutsches Wörterbuch zu den Schriften des Neuen Testaments und der übrigen urchristlichen Literatur, Neudruck Berlin 1963.
Beare, F.W., The Gospel according to Matthew. A Commentary, Oxford 1981.
Berger, K., Zu den sogenannten Sätzen heiligen Rechts: NTS 17 (1970/71) 10-40.
− Exegese des Neuen Testaments. Neue Wege vom Text zur Auslegung (UTB 658) Heidelberg ²1984.
− Formgeschichte des Neuen Testaments, Heidelberg 1984.
Best, E., Matthew V, 3: NTS 7 (1961) 255-258.
Betz, O., Rechtfertigung in Qumran, in: Friedrich, J. u.a. (Hg.), Rechtfertigung. Festschrift für E. Käsemann, Tübingen 1976, 17-36.
Bič, M., Das Buch Sacharja, Berlin 1963.
Böhl, F., Die Demut ('nwh) als höchste der Tugenden. Bemerkungen zu Mt 5,3.5: BZ N.F. 20 (1976) 217-223.
Bornkamm, G./Barth, G./Held, H.J., Überlieferung und Auslegung im Matthäusevangelium (WMANT 1) Neukirchen ⁵1968.
Broer, I., Freiheit vom Gesetz und Radikalisierung des Gesetzes. Ein Beitrag zur Theologie des Evangelisten Matthäus (SBS 98) Stuttgart 1980.
Brun, L., Segen und Fluch im Urchristentum, Oslo 1932.
Bultmann, R., Die Geschichte der synoptischen Tradition (FRLANT 29) Göttingen ⁷1967.
Burchard, Ch., Versuch, das Thema der Bergpredigt zu finden, in: Strecker, G. (Hg.), Jesus Christus in Historie und Theologie. Neutestamentliche Festschrift für Hans Conzelmann zum 60. Geburtstag, Tübingen 1975, 409-432.
Burger, Ch., Jesus als Davidssohn. Eine traditionsgeschichtliche Untersuchung (FRLANT 98) Göttingen 1970.

Cadbury, H.J., The Style and Literary Method of Luke (HThS VI) Cambridge 1920.
Cerfaux, L., Les Sources Scripturaires de Mt. 11,25-30: EThL 31 (1955) 331-342.
Charlesworth, J.H., The SNTS Pseudepigrapha Seminars at Tübingen and Paris on the Books of Enoch: NTS 25 (1979) 315-323.
− The Pseudepigrapha and Modern Research (Septuagint and Cognate Studies 7) Missoula 1976.
Christ, F., Jesus Sophia. Die Sophia-Christologie bei den Synoptikern (AThANT 57) Zürich 1970.

Dautzenberg, G., Sein Leben Bewahren. $\psi v\chi\acute{\eta}$ in den Herrenworten der Evangelien (StANT 14) München 1966.

- Der Wandel der Reich-Gottes-Verkündigung in der urchristlichen Mission, in: ders./Merklein, H./Müller, K. (Hg.), Zur Geschichte des Urchristentums (QD 87) Freiburg/Basel/Wien 1979, 11-32.

Davies, W.D., The Setting of the Sermon on the Mount, London 1966.

Degenhardt, H.-J., Lukas. Evangelist der Armen. Besitz und Besitzverzicht in den lukanischen Schriften, Stuttgart 1965.

Deissler, A., Die Psalmen, Düsseldorf 1977.

Dibelius, M., Die Bergpredigt, in: ders., Botschaft und Geschichte I, Tübingen 1953, 79-174.

- Der Brief des Jakobus (KEK XV) Göttingen 11 1964.

Dietzfelbinger, Ch., Die Antithesen der Bergpredigt (TEH 186) München 1975.

Dodd, C.H., The Beatitudes: A Form-Critical Study, in: ders., More New Testament Studies, Manchester 1968, 1-10.

Dupont, J., Lès πτωχοὶ τῷ πνεύματι de Matthieu 5,3 et les 'nwj rwḥ de Qumrân, in: Blinzler, J./Kuss, O./Mußner, F. (Hg.), Neutestamentliche Aufsätze. Festschrift für Josef Schmid zum 70. Geburtstag, Regensburg 1963, 53-64.

- Les Béatitudes, I. II Paris 2 1969/ III Paris 1973.

Eichholz, G., Auslegung der Bergpredigt (BSt 46) Neukirchen 2 1970.

- Die Theologie des Paulus im Umriß, Neukirchen 1972.

Ernst, J., Das Evangelium nach Lukas (RNT) Regensburg 1977.

Feuillet, A., Die beiden Aspekte der Gerechtigkeit in der Bergpredigt: IKaZ 7 (1978) 108-115.

Fiedler, P., Der Sohn Gottes über unserem Weg in die Gottesherrschaft. Gegenwart und Zukunft der βασιλεία im Mattäusevangelium, in: ders./Zeller, D. (Hg.), Gegenwart und kommendes Reich. Schülergabe Anton Vögtle zum 65. Geburtstag, Stuttgart 1975, 91-100.

Fischer, K.M., Redaktionsgeschichtliche Bemerkungen zur Passionsgeschichte des Matthäus, in: Rogge, J./Schille, G. (Hg.), Theologische Versuche II, Berlin 1970, 109-128.

Fischer, U., Eschatologie und Jenseitserwartung im hellenistischen Diasporajudentum (ZNW, Beiheft 44) Berlin 1978.

Flusser, D., Blessed Are the Poor in Spirit . . .: IEJ 10 (1960) 1-13.

Fohrer, G., Das Buch Hiob (KAT XVI) Gütersloh 1963.

- u.a., Exegese des Alten Testaments. Einführung in die Methodik (UTB 267) Heidelberg 3 1979.

Frankemölle, H., Die Makarismen (Mt 5,1-12; Lk 6,20-23). Motive und Umfang der redaktionellen Komposition: BZ N.F. 15 (1971) 52-75.

- Jahwebund und Kirche Christi. Studien zur Form- und Traditionsgeschichte des ,,Evangeliums" nach Matthäus (NTA N.F. 10) Münster 1974.

- ,,Pharisäismus" in Judentum und Kirche, in: Goldstein, H. (Hg.), Gottesverächter und Menschenfeinde? Juden zwischen Jesus und frühchristlicher Kirche, Düsseldorf 1979, 123-189.

George, A., La ,,Forme" des Béatitudes jusqu' à Jésus, in: Mélanges Bibliques rédigés en l'honneur de André Robert, Paris 1957, 398-403.

Gerstenberger, E., The Woe-Oracles of the Prophets: JBL 81 (1962) 249-263.

Giesen, H., Heilszusage angesichts der Bedrängnis. Zu den Makarismen in der Offenbarung des Johannes: SNTU Ser. A, 6/7 (1981/82) 191-223.

- Christliches Handeln. Eine redaktionskritische Untersuchung zum δικαιοσύνη-Begriff im Matthäus-Evangelium (EHS. T 181) Frankfurt/Bern 1982.

Goppelt, L., Theologie des Neuen Testaments I/II, Neudruck Göttingen 1981.

Gräßer, E., Die Antijüdische Polemik im Johannesevangelium: NTS 11 (1964) 74-90.

– Offene Fragen im Umkreis einer Biblischen Theologie: ZThK 77 (1980) 200-221.

Grimm, W., Die Verkündigung Jesu und Deuterojesaja (ANTJ 1) Bern/Frankfurt [2]1981.

Grundmann, W., Die Frage der ältesten Gestalt und des ursprünglichen Sinnes der Bergrede Jesu (Schriften zur Nationalkirche 10) Weimar 1939.

– Das Evangelium nach Matthäus (ThHK I) Berlin [3]1972.

– Weisheit im Horizont des Reiches Gottes. Eine Studie zur Verkündigung Jesu nach der Spruchüberlieferung, in: Schnackenburg, R. u.a. (Hg.), Die Kirche des Anfangs. Für H. Schürmann, Freiburg/Basel/Wien 1978, 175-200.

Guelich, R., The Matthean Beatitudes: ,,Entrance-Requirements" or eschatological Blessings?: JBL 95 (1976) 415-434.

– The Sermon on the Mount. A Foundation for Understanding, Waco 1982.

Gundry, R.A., The Use of the Old Testament in St. Matthew's Gospel (NT.S XVIII) Leiden 1975.

– Matthew. A Commentary on his Literary and Theological Art, Grand Rapids 1982.

Haenchen, E., Die Apostelgeschichte (KEK III) Göttingen [6]1968.

Hagner, D.A., The Use of the Old and New Testaments in Clement of Rome (NT.S XXXIV) Leiden 1973.

Hasenfratz, H.P., Die Rede von der Auferstehung Jesu Christi. Ein methodologischer Versuch (Forum Theol. Ling. 10) Bonn 1975.

Hendriksen, W., The Gospel of Matthew (NT Commentary) Edinburgh 1974.

Hermisson, H.J., Studien zur israelitischen Spruchweisheit (WMANT 28) Neukirchen 1968.

Hoffmann, P., Studien zur Theologie der Logienquelle (NTA N.F. 8) Münster 1972.

Tradition und Situation. Zur ,,Verbindlichkeit" des Gebots der Feindesliebe in der synoptischen Überlieferung und in der gegenwärtigen Friedensdiskussion, in: Kertelge, K. (Hg.), Ethik im Neuen Testament (QD 102) Freiburg/Basel/Wien 1984, 50-118.

–/ Eid, V., Jesus von Nazareth und eine christliche Moral. Sittliche Perspektiven der Verkündigung Jesu (QD 66) Freiburg/Basel/Wien 1975.

Holtz, T., Grundzüge einer Auslegung der Bergpredigt: ZdZ 31 (1977) 8-16.

Hoyt, Th., The Poor/Rich Theme in the Beatitudes: JRT 37 (1980) 31-41.

Horn, F.W., Glaube und Handeln in der Theologie des Lukas (GTA 26) Göttingen 1983.

Hübner, H., Das Gesetz in der synoptischen Tradition. Studien zur These einer progressiven Qumranisierung und Judaisierung innerhalb der synoptischen Tradition, Witten 1973.

Hummel, R., Die Auseinandersetzung zwischen Kirche und Judentum im Matthäusevangelium (BEvTh 33) München [2]1966.

Hunter, A.M., Crux Criticorum – Matt. XI, 25-30 – A Re-Appraisal: NTS 8 (1961/62) 241-249.

Janzen, W., 'Ašrê in the Old Testament: HThR 58 (1965) 215-226.

Jens, W., Am Anfang der Stall, am Ende der Galgen: Jesus von Nazareth: seine Geschichte nach Matthäus, Stuttgart [2]1972.

Jüngel, E., Paulus und Jesus. Eine Untersuchung zur Präzisierung der Frage nach dem Ursprung der Christologie (HUTh 2) Tübingen [5]1979.

Kähler, Ch., Studien zur Form- und Traditionsgeschichte der biblischen Makarismen, Diss. masch. Jena 1974.

Käsemann, E., Exegetische Versuche und Besinnungen I/II. Gesammelte Aufsätze, Göttingen [6]1970.

Käser, W., Beobachtungen zum alttestamentlichen Makarismus: ZAW 82 (1970) 225-250.

Kamlah, E., Die Form der katalogischen Paränese im Neuen Testament (WUNT 7) Tübingen 1964.

Kandler, H.-J., Die Bedeutung der Armut im Schrifttum von Chirbet Qumran: Jud. 13 (1957) 193-209.

Keck, L.E., The Poor among the Saints in the New Testament: ZNW 56 (1965) 100-129 (zitiert als The Poor I).

— The Poor among the Saints in Jewish Christianity and Qumran: ZNW 57 (1966) 54-78 (zitiert als The Poor II).

Keller, C., Les „Béatitudes" de l'Ancien Testament, in: Hommage à W. Vischer, Montpellier 1960, 88-100.

Kieffer, R., Essais de méthodologie néo-testamentaire, Lund 1972.

— Weisheit und Segen als Grundmotive der Seligpreisungen bei Matthäus und Lukas: SNTU Ser. A 2 (1977) 29-43.

Klein, P., Die lukanischen Weherufe Lk 6,24-26: ZNW 71 (1980) 150-159.

Knoch, O., „Denn ich bin sanftmütig und demütig von Herzen" (Mt 11,28), in: ders./ Messerschmidt, F./ Zenner, A. (Hg.), Das Evangelium auf dem Weg zum Menschen. Festschrift H. Kahlefeld, Frankfurt 1973, 86-100.

Koch, K., Was ist Formgeschichte. Methoden der Bibelexegese, Neukirchen [3]1974.

Kraus, H.-J., Psalmen I/II (BK XV/ 1.2) Neukirchen [5]1978.

Krause, H.J., hôj als profetische Leichenklage über das eigene Volk im 8. Jahrhundert: ZAW 85 (1973) 15-46.

Kretzer, A., Die Herrschaft der Himmel und die Söhne des Reiches. Eine redaktionsgeschichtliche Untersuchung zum Basileiabegriff und Basileiaverständnis im Matthäusevangelium (SBM 10) Stuttgart/Würzburg 1971.

Kümmel, W.G., Einleitung in das Neue Testament, Heidelberg [20]1980.

Kuschke, A., Arm und Reich im Alten Testament mit besonderer Berücksichtigung der nachexilischen Zeit: ZAW 57 (1939) 31-57.

Lambrecht, J., Ich aber sage euch. Die Bergpredigt als programmatische Rede Jesu (Mt 5-7; Lk 6, 20-49), Stuttgart 1984.

Légasse, S., Les Pauvres en Esprit et les „Volontaires" de Qumrân: NTS 8 (1961/62) 336-345.

— Jésus et l'enfant. „Enfants", „petits" et „simples" dans la tradition synoptique (EtB) Paris 1969.

— L' „antijudaïsme" dans l'Evangile selon Matthieu, in: Didier, M. (Hg.), L'Evangile selon Matthieu, Gembloux 1972, 417-428.

Liedke, G., Gestalt und Bezeichnung alttestamentlicher Rechtssätze (WMANT 39) Neukirchen 1971.

Lipinski, E., Macarismes et Psaumes de Congratulation: RB 75 (1968) 321-367.

Lohfink, G., Wem gilt die Bergpredigt?: ThQ 163 (1983) 264-284.

Lohse, E. (Hg.), Die Texte aus Qumran, Darmstadt [2]1971.

Lührmann, D., Liebet eure Feinde (Lk 6,27-36/ Mt 5,39-48): ZThK 69 (1972) 412-438.

Luz, U., Die Jünger im Matthäusevangelium: ZNW 62 (1971) 141-171.
– Die Bergpredigt im Spiegel ihrer Wirkungsgeschichte, in: Moltmann, J. (Hg.), Nachfolge und Bergpredigt, München 1981, 37-72.

Maahs, C.-H., The Macarism in the New Testament. A Comparative Religious and Form Critical Investigation, Diss. theol. masch. Tübingen 1965.
Maier, J., Die Texte vom Toten Meer I/II, München/Basel 1960.
Marguerat, D., Le Jugement dans l'Evangile de Matthieu (Le Monde de la Bible) Genf 1981.
McEleney, N.J., The Beatitudes of the Sermon on the Mount/Plain: CBQ 43 (1981) 1-13.
Meier, J.P., Law and History in Matthew's Gospel. A Redactional Study of Mt 5,17-48 (AnBib 71) Rom 1976.
– The Gospel according to Matthew, New York 1983.
Merklein, H., Die Gottesherrschaft als Handlungsprinzip. Untersuchung zur Ethik Jesu (FzB 34) Würzburg (1978) [3]1984.
– Jesu Botschaft von der Gottesherrschaft. Eine Skizze (SBS 111) Stuttgart (1983) [2]1984.
Michaelis, Ch., Die II-Alliteration der Subjektsworte der ersten 4 Seligpreisungen in Mt. V 3-6 und ihre Bedeutung für den Aufbau der Seligpreisungen bei Mt., Lk. und in Q: NT 10 (1968) 148-161.
Minear, P.S., Die Funktion der Kindheitsgeschichten im Werk des Lukas, in: Braumann, G. (Hg.), Das Lukas-Evangelium (WdF CCLXXX) Darmstadt 1974, 204-235.
Mowinckel, S., Psalmenstudien V: Segen und Fluch in Israels Kult und Psalmendichtung, Oslo 1923.
Murphy, R.E., Form Criticism and Wisdom Literature: CBQ 31 (1969) 475-483.

Neuhäusler, E., Anspruch und Antwort Gottes. Zur Lehre von den Weisungen innerhalb der synoptischen Jesusverkündigung, Düsseldorf 1962.
Norden, E., Agnostos Theos. Untersuchungen zur Formgeschichte religiöser Rede, Neudruck Darmstadt 1971.

Ott, W., Gebet und Heil. Die Bedeutung der Gebetsparänese in der lukanischen Theologie (StANT 12) München 1965.

Percy, E., Die Botschaft Jesu. Eine traditionskritische und exegetische Untersuchung (Lunds Universitets Arsskrift N.F. Avd. 1 Bd. 49 Nr. 5) Lund 1953.
Pesch, R., Eine alttestamentliche Ausführungsformel im Matthäus-Evangelium: BZ N.F. 10 (1966) 220-245; 11 (1967) 79-95.
Pietron, J., Geistige Schriftauslegung und biblische Predigt. Überlegungen zu einer Neubestimmung geistiger Exegese im Blick auf heutige Verkündigung, Düsseldorf 1979.
Przybylski, B., Righteousness in Matthew and His World of Thought (MSSNTS 41) Cambridge 1981.

Räisänen, H., Die Parabeltheorie im Markusevangelium (SFThL 26) Helsinki 1973.
Richter, W., Recht und Ethos. Versuch einer Ortung des weisheitlichen Mahnspruches (StANT 15) München 1966.
– Exegese als Literaturwissenschaft. Entwurf einer alttestamentlichen Literaturtheorie und Methodologie, Göttingen 1971.

Rothfuchs, W., Die Erfüllungszitate des Matthäusevangeliums. Eine biblisch-theologische Untersuchung (BWANT 8) Stuttgart 1969.

Rudolph, W., Haggai – Sacharja 1-8 – Sacharja 9-14 – Maleachi (KAT XIII/4) Gütersloh 1976.

Schelkle, K.H., Die Gemeinde von Qumran und die Kirche des Neuen Testaments, Düsseldorf [2]1965.

Schenke, H.M./Fischer, K.M., Einleitung in die Schriften des Neuen Testaments II: Die Evangelien und die anderen neutestamentlichen Schriften, Gütersloh 1979.

Schlosser, J., Le Règne de Dieu dans les dits de Jésus I/II, Paris 1980.

Schmid, J., Matthäus und Lukas (BSt 23) Freiburg 1930.

– Das Evangelium nach Matthäus (RNT 1) Regensburg [3]1956.

Schmidt, H., Grüße und Glückwünsche im Psalter: ThStKr 103 (1931) 141-150.

Schnackenburg, R., Die Seligpreisung der Friedensstifter (Mt 5,9) im matthäischen Kontext: BZ N.F. 26 (1982) 161-178.

Schneider, G., Botschaft der Bergpredigt (CiW 6/8a) Aschaffenburg 1969.

– Das Evangelium nach Lukas I/II (ÖTK 3/1.2) Gütersloh/Würzburg 1977.

– Die Apostelgeschichte I/II (HThK V/1.2) Freiburg/Basel/Wien 1980/82.

Schottroff, L./Stegemann, W., Jesus von Nazareth – Hoffnung der Armen (UT 639) Stuttgart [2]1981.

Schottroff, W., Der altisraelitische Fluchspruch (WMANT 30) Neukirchen 1969.

Schrage, W., Der Brief des Jakobus, in: Balz, H./ders., Die ,,Katholischen Briefe". Die Briefe des Jakobus, Petrus, Johannes und Judas (NTD 10) Göttingen [12]1980.

Schürmann, H., Traditionsgeschichtliche Untersuchungen zu den synoptischen Evangelien (KBANT) Düsseldorf 1968.

– Das Lukasevangelium I (HThK III/1) Freiburg/Basel/Wien [2]1982.

– Gottes Reich – Jesu Geschick. Jesu ureigener Tod im Licht seiner Basileia-Verkündigung, Freiburg/Basel/Wien 1983.

Schulz, S., Q. Die Spruchquelle der Evangelisten, Zürich 1972.

Schweizer, E., Das Evangelium nach Matthäus (NTD 2) Göttingen 1973.

– Matthäus und seine Gemeinde (SBS 71) Stuttgart 1974.

Soiron, Th., Die Bergpredigt Jesu, Freiburg 1941.

Stegemann, W., Das Evangelium und die Armen, München 1981.

Strack, H.L./Billerbeck, P., Kommentar zum Neuen Testament aus Talmud und Midrasch, I München [5]1969/ II-IV München [4]1965.

Strecker, G., Der Weg der Gerechtigkeit. Untersuchung zur Theologie des Matthäus (FRLANT 82) Göttingen [2]1966.

– Die Makarismen der Bergpredigt: NTS 17 (1970/71) 255-275.

– Die Antithesen der Bergpredigt (Mt 5,21-48 par.): ZNW 69 (1978) 36-72.

– Die Bergpredigt. Ein exegetischer Kommentar, Göttingen 1984.

Stuhlmacher, P., Gottes Gerechtigkeit bei Paulus (FRLANT 87) Göttingen [2]1966.

– Das paulinische Evangelium I. Vorgeschichte (FRLANT 95) Göttingen 1968.

Theißen, G., Studien zur Soziologie des Urchristentums (WUNT 19) Tübingen [2]1983.

Topel, L.J., The Lukan Version of the Lord's Sermon: BThB 11 (1981) 48-53.

Trilling, W., Der Einzug in Jerusalem Mt 21,1-17, in: Blinzler, J./ Kuss, O./ Mußner, F. (Hg.), Neutestamentliche Aufsätze. Festschrift für Josef Schmid zum 70. Geburtstag, Regensburg 1963, 302-309.

– Das wahre Israel. Studien zur Theologie des Matthäus-Evangeliums (StANT 10) München ³1964.

– Das Evangelium nach Matthäus (Geistliche Schriftlesung NT 1/1.2) Düsseldorf ⁶·⁴1984.

Walter, N., Die Bearbeitung der Seligpreisungen durch Matthäus, in: Cross, F.L. (Hg.), Studia Evangelica IV. Papers presented to the Third International Congress (TU 102) Berlin 1968, 246-258.

Wengst, K. (Hg.), Schriften des Urchristentums II. Didache (Apostellehre), Barnabasbrief, Zweiter Klemensbrief, Schriften an Diognet, München 1984.

Westermann, C., Weisheit im Sprichwort, in: ders., Forschung am Alten Testament (ThB 55) München 1974, 149-161.

Wildberger, H., Jesaja (28-39) (BK X/3) Neukirchen 1982.

Windisch, H., Der Sinn der Bergpredigt. Ein Beitrag zum geschichtlichen Verständnis der Evangelien und zum Problem der richtigen Exegese, Leipzig ²1937.

Wolff, H.W., Amos' geistige Heimat (WMANT 18) Neukirchen 1967.

– Dodekapropheton 2. Joel und Amos (BK XIV/2) Neukirchen ²1975.

Worden, R.A., A Philological Analysis of Lk 6,20b-49 and Parallels, Diss. Princeton 1973.

Wrege, H.Th., Die Überlieferungsgeschichte der Bergpredigt (WUNT 9) Tübingen 1968.

Zeller, D., Die weisheitlichen Mahnsprüche bei den Synoptikern (FzB 17) Würzburg 1977.

Zimmerli, W., Zur Struktur der alttestamentlichen Weisheit: ZAW 51 (1933) 177-204.

– Ort und Grenze der Weisheit im Rahmen der alttestamentlichen Theologie, in: ders., Gottes Offenbarung. Gesammelte Aufsätze zum Alten Testament (ThB 19) München 1963, 300-315.

Stellenregister (in Auswahl)

Jak

4,4	77
4,8f	77

Apokryphen

äHen 58,2	32
äHen 92-105	38
äHen 95,1	77
äHen 99,13ff	29
slHen 42	37
sBar 10,6f	37
TestRuben 1,10	77
TestRuben 3,15	77
TestSimeon 4,2	77
TestSebulon 4,7-8	77
TestJos 3,9f	77
ApkMoses 43	77

altkirchliche Schriften (alle S. 34/35)

Tertullian, AdvMarcIV 14,9.10.13
Origenes, IerHom8,4;20,6
　　　　　IoCom 20,23
　　　　　PsHom 4,1
　　　　　MatCom8,9

LamCat322;Nr.VI Klagel.
Jerem 1
Überschrift;
Nr. X Klagel. Jerem 1,2
Anon, IntAn Codex II, 135
Anon Apoc, EvTh log. 54

Qumranschriften

CD 6,16	74
6,21	74
14,14	74
19,9	73
19,14	73
19,16f	73
1QS 3,8	73
1QH 5,21f	73
14,3	73
18,14	67
1QM 14,7	65;69;73

griechische und römische Schriftsteller

Philo, Fug 139	94
Horaz, Epoden	
2,1	49

Autorenregister

BONNER BIBLISCHE BEITRÄGE
Auswahl lieferbarer Titel